夢を叶えるための勉強法

鈴木光
HIKARU SUZUKI

Dreams Come True

KADOKAWA

「何かを学ぶこと」は、
自分の夢を叶える
手段の1つです。
学校、仕事、遊びの時間……
いつでも、どこでも、
学ぶことができます。

勉強は、努力の成果が
実感しやすいものだと思います。
頑張れば努力が報われる経験を
積み重ねることで、みなさんが
自分に自信をもてますように。

頑張りすぎて疲れたな、と思ったら
ゆっくり休んでください。
自分のペースで進めば大丈夫。

「なるほど」と納得できたときが、
勉強の一番楽しい瞬間です。
「なぜなんだろう？」と
考えを深めていくと、
違った世界が見えてきます。

何かがうまくいかないときこそ、
伸びるチャンスです。
私も、落ち込んだときは、
「伸びしろしかない」と思って、
踏ん張っています。

読んでくださった方が勉強時間の中に少しでも楽しさを見出してくれたり、夢を叶えたりするための助けになれますように。

夢を叶えるための勉強法

はじめに

本書を手に取ってくださったみなさん、はじめまして。

クイズ番組『東大王』などに出演させていただいている、鈴木光です。

現在は東大法学部の学生として、将来の夢である弁護士になるために、毎日勉強を続けています。

私の経歴を簡単にご紹介しておくと、筑波大学附属高等学校在学中にスタンフォード大学の通信教育プログラムで最優秀賞を受賞し、推薦入試で東京大学文科Ⅰ類に現役合格しました。

私は2年前からインスタグラムを始めたのですが、ありがたいことにたくさんの方からコメントをいただいています。

中でも一番多く寄せられるのが「勉強」に関するコメントです。

インスタグラムを更新する度に、いくつかの質問に答えるようにしてきましたが、気付くと寄せられたコメントの数は7万件を超えてしまっていました。

またリアルタイムでなるべく平等にお返事するため、簡潔にしか答えられず、とても申し訳なく思っていました。

そこで、**私なりに自分の勉強方法を整理し、まとめてみたのが本書**です。

私は本書で「どこから手をつけていいか分からない」「暗記量が多くて覚えきれない」「よい勉強法を見つけたい」などと、みなさんが送ってくださった数々の質問に答えていきたいと思っています。

質問をくださる方の中には、家庭の事情で塾に通えない方や、親に進学を反対されている学生の方々も多いです。

そういった思い通りにならない状況の中でも、**一生懸命勉強を頑張っているみなさんの役に立ちたいと考えたのが、本書を書こうと思ったきっかけ**です。

私達が生活している中では、あんなに頑張ったのにダメだったと思うことはよくあっても、目に見えて努力が報われたと実感できることは少ないです。

でも漢字や英語の小テストならどうでしょう？　少し努力すればすぐに点数に反映されませんか？


一見小さなことのように見える、テストの点数を5点、10点と上げることが「**頑張れば努力が報われる**」という経験の積み重ねになります。

その経験によって「**努力すればできる自分**」を**信じられるようになり、勉強という分野を超えて、自分のこれからの人生を支えてくれるようになる**と私は思っています。

そうして、自分を信じることができるようになれば、「〇〇になりたい」「〇〇してみたい」という将来の夢に向かって頑張ることができるようになるはずです。

だから本書では、すぐに実現可能な「小目標」の設定から始まり、最後は3年以上かけるような「大目標」の達成までを目標として、数々の勉強テクニックを紹介しています。

私は本書を、みなさんの家庭教師になったつもりで書かせていただこうと思います。

勉強を始めようと思っているみなさんへ

最初から長時間集中して勉強するのは、誰にとっても、また特にこれから本格的に勉強を始めようとする方にとっては簡単なことではありません。
そこで、勉強を始めるときのポイントを2つお伝えしておきます。

① ちょっとした楽しみを見つけること
② 短期的な目標から始めて達成できたら少しずつ引き上げること

それぞれ、どういうことか簡単に説明します。

まずは、**①ちょっとした楽しみを見つけること**について。
誰でもつまらないことより楽しいことの方が続けやすく、習慣付けしやすいです。
勉強も全く同じです。
一度でも「楽しいな」と思う瞬間にめぐり合うことができれば、その後も「また楽しいことがあるかもしれない」という前向きな気持ちをもてるようになります。

これから勉強を始める上で、「面白い！」「なるほど！」といった「ちょっとした楽しみ」を見つけることをまずは一番大事にして欲しいです。

次に、②**短期的な目標から始めて達成できたら少しずつ引き上げること**について。

小さな目標であっても、何かを達成できたら嬉しいですし、次もまた挑戦してみたくなります。

そして、その経験が積み重なると、頑張れた自分に自信がついてきます。

充実した感覚をもつには、達成しやすい目標、**つまり今の自分にとっては少し難しいけれど頑張れば達成できるかもしれない目標を設定することが大切**なのです。

たとえば、体育の跳び箱も1段ずつ高くしていきますよね。3段が跳べたら4段というように、ちょっとずつ目標を上げていけばいいのです。

何の努力もせずに勉強ができる人はいないと私は思っています。

天才アインシュタインでさえ「天才とは努力する凡才のことである」という名言

を残しているのに、私達が努力もせずに何かを達成することは不可能であると思うのです。

私も、今でこそ1日に10時間程度は勉強できるようになりましたが、最初から長時間机に向かうことができたわけではありません。小学校、中学校、高校と徐々に勉強時間を増やして慣れていったのです。

だから、今、長い時間集中できないからといって、悲観する必要は全くないと思います。まずは1時間やってみて、それができたら2時間やってみましょう。

自分のペースで、少しずつ負荷を強めて着実に勉強する訓練をしていけば、必ず長い時間できるようになるはずです。

勉強を頑張っているけれど悩みを抱えている方へ

「とても頑張っているのに状況が良くならない」「一生懸命やったのに結果がついてこない」と感じるときが、勉強を行っている中で一番つらい瞬間だと思います。

私もそういう思いを何度もしたことがあります。

しかし、私の経験上、勉強法のすべてに問題点があることは少なくて、**勉強の方法のほんの一部に非効率的な点があるだけ**ということが多いのです。

そのため、**部分的にやり方を変えるだけで現状が大きく改善することがたくさんあります。**

本書では、なるべく効率的に勉強を進めていくための方法をたくさんご紹介していきます。ですので、今うまくいかなくても大丈夫。一緒に頑張っていきましょう。

本書の流れ

本書は、勉強をしたいという意志をもった多くの学生のみなさんが実践しやすいように、時間軸に沿って章の組み立てを行ってみました。

序章　探る――勉強目標・計画を立ててみよう
第1章　知る――問題を解くための「考え方」を身につけて勉強を始めよう
第2章　憶える――知識を自分のものにしよう
第3章　整える――勉強を続けられる環境をつくろう

第4章　正す――結果を振り返ってやり方を修正してみよう

順番に読み進めれば、勉強の大まかな流れを捉えられるような構成になっています。ここまで読めば、勉強との付き合い方、環境の整え方など下準備ができあがり、

第5章　突破する――科目別の攻略法

で個別の具体的なテクニックについて紹介しています。また、

終章　さまざまな学ぶ場

では特別編として、いわゆる「勉強」以外で私が得た、たくさんの学びの経験についてご紹介しています。

最初から読み進めていただいても、自分が興味のある章から読み始めてもかまいません。気楽な気持ちで読んでみてください。

本書が少しでもみなさんの参考になって、**夢や目標を叶えるための一助**となれば幸いです。

目次

第1章 知る

第5章 突破する 科目別の攻略法

序章 探る

勉強目標・計画を立ててみよう

まずは自分なりの目標を立てよう

勉強の第一歩は目標を立てること

勉強を始めよう、といっても何から手をつけていいのか分からないですよね。

そこで、みなさんが「勉強を始めたい」と思ったきっかけを思い出してみましょう。

「○○大学に入りたいから成績を上げたい」「テストの点数を上げたい」「勉強ができるようになりたい」、さまざまなきっかけがあるでしょう。

勉強を始める理由は人それぞれ。でも、今よりもよい状況を目指しているという点では共通しています。「どんな状況を目指すか」は勉強の内容を決める上でとても重要になってきます。

たとえば、「英語ができるようになりたい」と思っているのに、数学の勉強しかしていなかったら、いつまでも英語ができるようにはなりませんよね。

「英語の定期テストで80点を取りたい。そのためには週に○時間は勉強をする必要がある」というように、目標を明確にした上で勉強内容を決定していく必要があります。

そこで、**勉強は次の3つのレベルの目標を決めることから始めましょう。**

- 「こんな大学に入りたい」「こんな職業に就きたい」という**数年単位の「大目標」**
- その達成に必要な**数カ月単位の「中目標」**
- 細かな確認のための**数日・数週間単位の「小目標」**

「大目標」が決まると、**勉強の方向性**が決まります。「中目標」が決まると、**勉強の内容**が決まります。「小目標」が決まると、**勉強のペース**が決まります。

このように目標を決めることで、いつまでに何をどのペースでやらないといけないかが見えてきます。さらに自分が今どれぐらいの位置にいるか把握できて、これから、どういった方向で、どの程度頑張らなければいけないのかが分かります。

登山を例にしてみると、山の何合目に自分がいるのか分からない場合、先が見えないために不安を感じてしまいますが、自分のいる位置が分かっていれば、安心して体力や時間の配分ができますよね。

勉強も一緒です。目標の何割を達成しているのか把握し正しい方向性で進めれば、安心して勉強に取り組めて、頑張り方のペース配分もつかめるようになります。

このように、勉強をする前に長期的・中期的・短期的な3つの目標を設定するとその後の勉強を進めやすくなります。まずは**目標を決めることから始めましょう。**

まとめ

○ **勉強を始めるときは長期的な「大目標」、中期的な「中目標」、短期的な「小目標」という3つのレベルの目標を立てる**

勉強を始めるときに立てる「大目標」「中目標」「小目標」

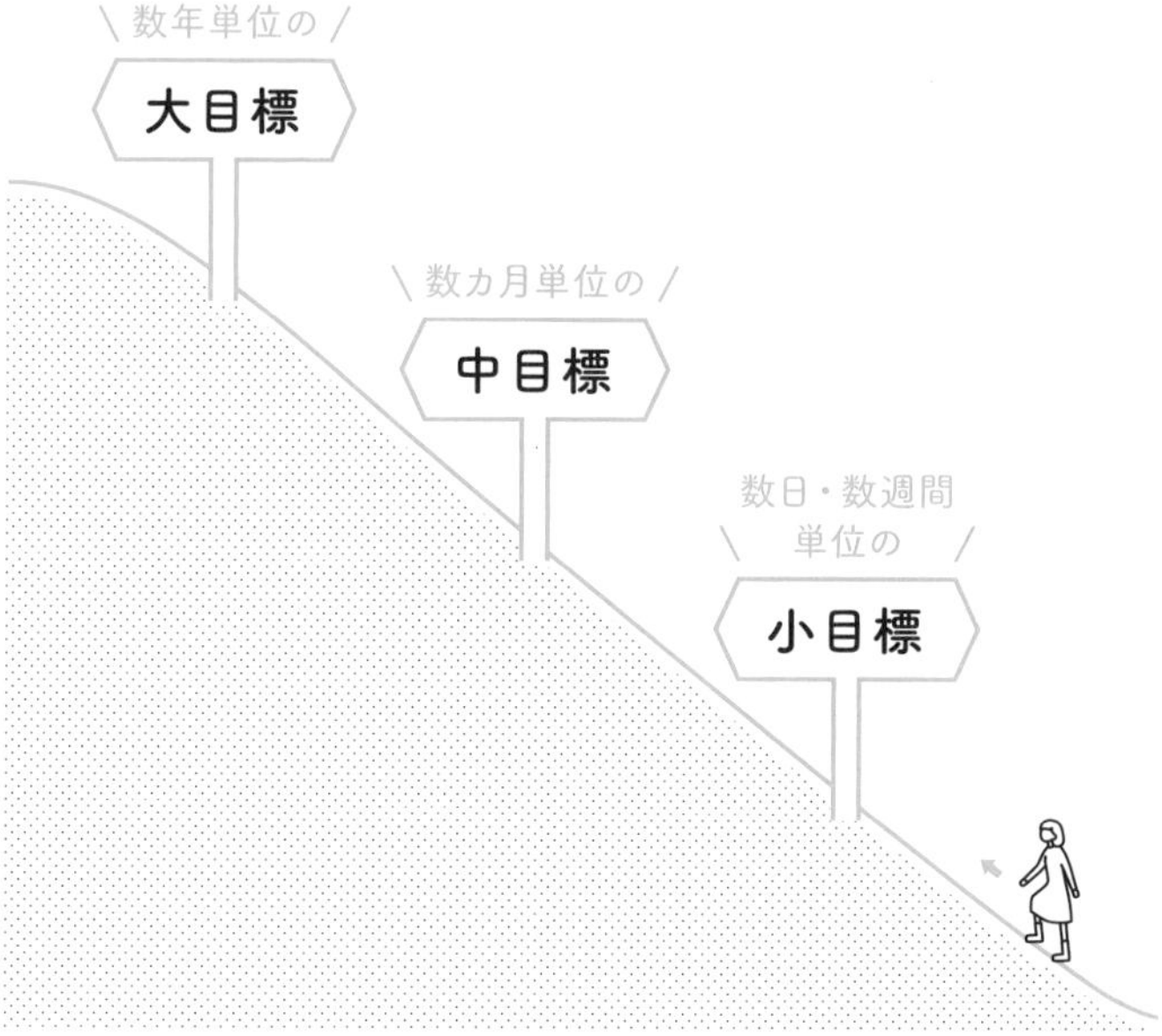

3つのレベルの目標を立てると、
勉強の方向性・内容・ペースが決まる！

勉強は登山のようなものです。長期的・中期的・短期的、それぞれの目標を定めることで、自分の今いる場所や今後やるべきことが見えてきます。まずは、目標を決めることから始めていきましょう！

ステップ1

「大目標」ざっくりとしたを立てよう

「大目標」は勉強の方向性を定める目安

まずは、将来なりたい職業や学びたい大学などを考えてみて、**長期的な目標である「大目標」を定めていきましょう。**

「大目標」を立てると、どの方向に自分が変わっていきたいのかが見えてくるようになるので、**勉強の方向性**が正しく向きやすくなります。

たとえば、英語を話せるようになりたい高校生がいるとしましょう。

目標を定めずに漠然と勉強した場合、ほかの科目の勉強に追われてしまい、肝心な英会話の学習に多くの時間を割けないまま、英語を話せるようにならなかった、ということが起きてしまいます。

しかし、「4年後に英語を話せるようになりたい」とざっくりとでも目標を立てている場合には、残り時間を考えながら勉強に取り組めるので、目標が達成しやすくなります。

このように大まかな「大目標」を定めることで、**努力をどの方向で、いつすればいいのかという方向性**が見えてきます。

そして、**自分の日々の頑張りが目標に的確に近づいていく実感を得やすくなるので、結果としてモチベーションが高まり**ます。

とはいえ、「なりたい職が分からない」「行きたい学校が見つからない」「数年後、自分が同じ目標をもっていると思わない」など、「大目標」を決めかねてしまう人も多いと思います。

ここでお伝えしたいのは、**そんなに難しく考えなくても大丈夫**だということです。

身近な人でも、テレビや雑誌で見かけた人でも、「素敵だな」と思った人はいませんか？　その人を仮の目標にするなど、とりあえず気軽に定めてＯＫです。

「○○大学で○○を学びたい」「医師になりたい」など、必ずしも具体的な目標をもつ必要はありません。

「3年以内にドイツ語を話せるようになりたい」とか、「ゲームが好きだからゲームに関係する何かをしたい」など、ざっくりした感じで考えれば大丈夫です。

「大目標」は、勉強の方向性を定める大まかな目安にすぎません。

なので、肩の力を抜いて「こうなりたいなあ」と、ぼんやり考えたことを目標として設定するだけでいいのです。

5年、6年先のことを予測したとしても、その通りにならないことの方が多いですよね。日々新しい出会いに触れるうちに「こういう風になりたいな」という像が変わるのもよくあることです。

だからこそ、具体的な目標を定める必要性は全くないのです。

今の自分がどうなったら素敵だと思うかを、目標としてざっくり設定することによって、**中期的・短期的にどう変化しなければならないかというイメージをつかむ**

のが「大目標」を定める目的です。

まずは気軽な気持ちで「大目標」を一緒に立てるところから始めてみましょうか？

「大目標」の立て方のヒント

それでも「目標が見つからない……」という場合もあると思います。

「制服が可愛いからこの学校に行ってみたい」とか「これができたらかっこいい」と思うことが、今は思い当たらない方がいらっしゃるかもしれません。

そもそも勉強があまり好きではなく、どうしたら関心をもてるようになるか、いまひとつイメージがつかめない方もいらっしゃるでしょう。

そんなときには、いったん机の上での勉強から離れてみてください。

そして、**体験型のプログラムなど、勉強の延長線上にある実践的な活動に参加してみましょう。**実際にいろいろ体験してみると、どういうことをしてみたいかというイメージが膨らみ、目標が立てやすくなると思います。

たとえば私の場合なら、高校生のときにスタンフォード大学の通信教育プログラムやシンガポールで行われた高校生を対象とした国際サミットに参加してみました。

実際そういう経験をしてみると、海外の貧困問題・高齢化社会・男女差別・日米貿易など、教科書とは違う世界の認識を肌で感じることができました。

そして討論を通して平和的に物事を解決していく、外交官や渉外弁護士《しょうがいべんごし》という仕事に興味が湧いたのです。

また、海外での授業の雰囲気をつかめて、海外の大学や大学院で学ぶイメージをもてるようになりました。

勉強っぽくない例でいうと、小学校の低学年～中学年ぐらいの夏休み、秋葉原で小さいロボットを作る体験教室に毎年参加していたこともあります。

年長の人がプログラミングでロボットの動きを制御しているのを見て「ああいうことができたらかっこいいな」と思ったことを覚えています。

探してみると、さまざまな年代を対象とする体験型のプログラムがあるようです。

小学生であれば、「小学生　体験教室」などとインターネットで検索すると、数日間のお手軽なプログラムが意外と簡単に見つけられると思います。

中・高校生であれば、「中高生　体験プログラム」と検索すると、少し長めの体験活動が見つかるでしょう。

18歳以上の大学生や大人であれば、「内閣府　国際交流」などと検索してみると、政府が行っている国際交流のプログラムなどの応募要項が見つかります。

無料のものも多いのでどんどんチャレンジして、**「大目標」を決める1要素**にしてください。

憧れの人を見つけて目標にしてもいい

それでもまだ「大目標」が見つけられないなと思う場合には、**周囲の人の話を聞いてみる**ということも有効な方法の1つだと思います。

私の場合は、高校1年生の頃に渉外弁護士の先生方に会いに行きました。そこで、私達の食卓に並ぶ食べ物も、実は先生方が交渉のお手伝いをされることで安定した価格で安全に食べることができていると知り、とても興味をもちました。

またそのお話をしてくださった先生方が、1人の高校生でしかない私に対して、大人の方に対応するのと全く変わらず真摯《しんし》に向き合ってくださったことに感銘《かんめい》を受けて弁護士になろうと決心しました。

ほかにも高校2年生の頃、外交官として活躍されていらっしゃる卒業生の方が、筑波大学附属高等学校で講演をしてくださったこともよく覚えています。

外交官になってからのエピソードがあまりに衝撃的で、「こんなに波乱万丈《はらんばんじょう》な面白い仕事があるのだなあ」と感じました。

このように、「面白いな、素敵だな」と思う人を参考にして、自分がどうしていきたいのか考えるのも「大目標」を定めるヒントになると思います。

まとめ

○「大目標」はとりあえず、ざっくりと定める

○「大目標」が決まらないときは、実践的な活動に参加する

○周りの素敵な人に話を聞いて参考にしてもいい

ステップ2 「中目標」を立てよう 具体的な

「中目標」は勉強の内容を定める指標

次に数カ月単位の「中目標」の立て方について話していきます。

まずは、「大目標」を達成するために、中期的に何ができるようになっていなければならないかを考えましょう。そして、それをやり遂げるためにどうしていくのかを、箇条書きのイメージで考えていくのです。

先ほどの、英語を上手に話せるようになりたいという「大目標」をもっている高校生を例に考えてみます。

英語で自分の意見を上手に表現するには、単語をたくさん覚えた方がいいでしょう。知っている語彙《ごい》を増やすには単語帳1冊を覚えきるという手段があります。

したがって「3カ月後に単語帳を1冊全部覚えきる」という「中目標」を設定してみるといいかもしれません。

「中目標」を立てる目的は、長期的すぎる「大目標」をもう少し短い期間で区切って、**現状やるべき課題を明確にする**ことにあります。いわば**勉強の内容を決定する役割をもつ**と言ってよいでしょう。

その際には

① いつまでにやるかという期限
② 何をやる必要があるのかという対象
③ どの程度できることを目指すのかというレベル感

という3つの要素を明確にすることを意識するといいでしょう。この期限・対象・レベル感、は具体的であればあるほど望ましいです。

先ほどの例で見てみましょう。「中目標」を「単語をたくさん覚える」と設定した場合と、「3カ月後までに単語帳1冊をすべて覚えて、英単語を見たときにすぐ日本語訳が思いつくようにする」と設定した場合を比較してみてください。

いつ、何を、どのぐらいやればいい、ということが明確になっていない前者だと、やるべきことを読み取るのは困難ですよね。

一方、3カ月という期限、単語帳1冊という対象、100%覚えきるというレベル感、がはっきりした後者はどうでしょうか？　この目標から取り組むべき課題を読み取るのは非常に簡単だと思います。

このように、3つの要素を明確にして「中目標」を定めてみてください。

まとめ

- 「中目標」は「大目標」の達成に必要なことを箇条書きするイメージで考える
- いつまでに、何を、どの程度やるのか、の3つの要素を設定する

ステップ3

現実的な「小目標」を立てよう

「小目標」は今取り組むべき課題

次は、「中目標」を達成するために、1日後、1週間後に目指していく「小目標」を立ててみましょう。ここでも、①期限・②対象・③レベル感、を明確にして目標を定めてみてください。

例として、「3カ月後までに単語帳1冊をすべて覚えて、英単語を見たときにすぐ日本語訳が思いつくようにする」という「中目標」を目指すとします。

どんな「小目標」を立てたらいいか考えてみましょう。

ここでポイントとなるのは、**スケジュールに余裕をもって目標を決めること**です。

たとえば、毎日勉強すると事前に決めていたとしても、急な予定が入ってきたり病気になったりして、できないことはよくありますよね。

ほかにもどうしても気が進まなくて勉強できない日もあるのが現実でしょう。「小目標」は、直近で実行する内容そのものです。確実に達成していく必要があるので、現実的にできるように定める必要があります。

なので、**理想の自分でなく現実の自分に合わせて目標を立てることが大切**です。

実際この場合どうなるか、考えてみましょう。

単語帳1冊を100％覚えるには何周すればいいでしょうか？　1周するだけでは足りないと考えられるので、3カ月で3周回す必要があるとしましょう。

とすると、単語帳を約1カ月で1周しなければならないことが分かりますね。

ここでは、単語帳1冊が600ページあるとします。

1カ月で600ページ進めるとすると、1カ月を約30日あると考えて、1日あたり20ページ進めればいいように思われます。

でも、本当に1カ月の間、毎日毎日続けることができそうでしょうか？

そう考えると、これは実現可能な目標ではなさそうですよね。

個人的には、**予定より1・5倍程度の時間がかかると想定して勉強の「小目標」を立てる**と、かなり実現可能性の高い目標ができあがると感じます。

先ほどの単語帳の例だと、30日のうち20日ぐらいしか勉強ができないと考えて割り振るとちょうどよいでしょう。20日で終わらせる予定で進めておけば、勉強できない日があったとしても、10日間の余裕がある状態にしておけるからです。

ですので、600ページを20日で1周すると考えて「1日あたり単語帳を30ページ進めて日本語での意味がすぐに分かるようにする」という「小目標」を立てる方がいいと思います。

このように具体的で、かつ実現できる目標を立ててみましょう。

まとめ

○「小目標」も①期限・②対象・③レベル感、を決める

○「小目標」は余裕をもって定めて、実現可能性が高いものにする

定期テストも目標を設定して対策しよう

「中目標」から必要な「小目標」を逆算して実行する

ここからは、「みなさんが特に知りたいのではないか？」と思う、**定期テストに向けた目標設定の仕方**を紹介していきたいと思います。

学校の定期テストは2カ月から3カ月に一度のペースで行われるもので、ここでよい点数を取る、というのは「中目標」に当たりますね。

まずは、「**試験日**」と「**教科・出題範囲**」を目標を立てるための前提として調べておきましょう。その上で、**①期限・②対象・③レベル感、の3要素を明確にして目標を定めてみます。**

たとえば、古文の定期テストで考えた場合、

① 2週間後に
② 源氏物語の「桐壺・光源氏の誕生」が出題される古文の定期テストで
③ 9割の点数を取る

といった具合に「中目標」を定めるということになります。

「中目標」が設定できたら、**次は「小目標」**です。どんなことができたら先ほど立てた目標を達成できるか考えてみましょう。

学校によって形式が違うので直接参考になるかどうか分かりませんが、一例として私がやっていた定期テスト対策用の「小目標」を紹介します。

- テスト2週間前までに過去問を入手すること（過去問がある場合のみ）
- 授業のノート・プリント・教科書を見返すこと
- 重要な点及び暗記事項を見極めること
- テストまでに暗記事項の確認を最低限2周は行うこと

・渡された問題集の対応する範囲を解くこと
・問題集でできなかったところを再度解き直すこと

どうやって達成していくのか、ここで全体の流れを説明していこうと思います。

私はまず、テスト開始2週間前までに、各教科の担当の先生の過去問を集めることを目標にしていました（過去問がある場合のみ）。

過去問からは、その先生が出題する問題の形式や傾向が明らかになります。

つまり、生徒達に授業を通じてどんなことができるようになって欲しいかが分析できて、傾向が分かり、対策を立てやすくなります。

そうすると、**重要度が高い部分が分かるようになり、濃淡をつけて勉強しやすくなります**。これは定期テストだけではなくすべての試験に当てはまることです。

次に、**試験日程を見て、どの日に、どの科目をやろうという計画**を定めます。

私は基本的に「この日は数学をやる！」という風に没頭した方がやりやすかったので、科目ごとに日を分けるやり方で勉強するようにしていました。

各科目を勉強する際は、まずは**授業のノート・プリント・教科書を見返して、出題されそうな重要事項を見極める**ようにします。

暗記が必要な部分には**緑のマーカーを引くことで、赤シートで隠せるようにします**。こうすることで、教科書や資料集、プリントをそのまま問題集にすることができるのですが、この勉強法はこの後詳しく説明していきます。

赤シートをかぶせて答えられるかを試して、分からなかった部分に正の字で印をつけていきます。これをすらすら答えられるようになるまで何度も繰り返します。

ここまでで、問題を解く上で必要最低限の知識がそろいました。

次に、その知識に対応する範囲の問題集を解いてみます。ここでは、解けなかったり詰まったりしたところにまた正の字をつけて、テストまでに完全にできるようになるまで繰り返します。

これが、私が実践していた主な定期テスト対策でした。

この方法で私は高校・大学の定期試験で良好な成績を収めることができたので、ぜひ試してみてください。

まとめ

○まずは「試験日」「教科・出題範囲」を調べる

○①いつまでに、②何を、③どれぐらいできるようになりたいかという「中目標」を決める

○目標点を取るためにやるべき課題を書き出して実行する

まさか「東大王」になるなんて

軽い気持ちでクイズ番組に参加

東大推薦の合格発表があってすぐ、高校の担任の先生から「『東大王』という番組でクイズ大会をやるらしいから興味があれば行ってみたら？」と1枚のチラシをいただきました。

この1枚の紙が私の大学生活を大きく変えることになります。

私はもともと小学生の頃からクイズ番組が大好きでした。

『平成教育委員会』『クイズプレゼンバラエティーQさま!!』など、お茶の間でおなじみのクイズ番組を家族と一緒によく観ていたのを覚えています。

これらの番組は中学受験レベルの問題が多かったため、テレビの前で自分も答え

を考えながら楽しんでいました。

高校ではクイズ研究会に入会。しかし、アジア太平洋青少年リーダーズサミットや塾で忙しく、あまり活動できませんでした。

当時の筑波大附属高校のクイズ研究会は部員が少なく、今のように活動が盛んではなかったので「超難問コロシアム」などの大会に出場するときはクラスメイトに助っ人を頼んでいたような感じでした。

『高校生クイズ（全国高等学校クイズ選手権）』にも参加したことがあります。そのときは確か予選が3段階に分かれていて、1段階目の○×クイズは突破したものの、2段階目のクロスワードパズルで、あと2組ほどのところで予選敗退しました。

そんな私が本格的にクイズに取り組むようになったのは、『東大王』に出演するようになってからです。

先ほどお話しした1枚のチラシを家に持って帰った私は、「こんなクイズの大会があるらしいけど、予選に参加していい？」と両親に聞きました。すると「面白そうだね。なんでも挑戦した方がいいよ」と言ってくれたのです。

最初の審査はペーパーテスト。それに合格して面接試験。1カ月後に本選に参加することができました。そこでなんとかベスト7に入ったのです。「東大王」のサブメンバーになり、それからは不定期で番組に参加するようになりました。

サブメンバーといっても、「東大王」の3人がクイズをする姿を見ている見学者のような感じです。今の候補生のようにクイズに実際に参加することは一度しかありませんでした。

でも今考えると、その見ていた時間が私のクイズの基礎を作ってくれていたような気がします。

そして約半年後、『東大王』で入れ替え戦が行われました。

準々決勝までは、ずっと最後の1人として滑り込む感じでギリギリ通過。

準々決勝で実力者の方々が早押しで誤答する中、最後に私に解答権がめぐってきて、なんとかベスト4に入ることができ本当にラッキーだったと思います。

そして準決勝では前回の『東大王』優勝者でもある伊沢拓司《いざわたくし》さんと対戦しました。

対戦形式は50ポイント先取の早押し対決。「10ポイントでもいいから伊沢さんから得点を取りたい」という気持ちで臨みました。結果は30ポイント対50ポイントと完敗しましたが、私にとっては最高に充実した瞬間だったのを覚えています。

そして最終的な順位は4位に。3位までがレギュラーになると思っていたところ、4位までが新「東大王」メンバーと聞き、想定外の展開にかなり動揺しました。

鶴崎修功《つるさきひさのり》さんは初代「東大王」でしたし、伊沢さんと水上颯《みずかみそう》さんは私が中学生の頃から『高校生クイズ』など数々の番組に出演されていた方々です。

テレビを通して「すごいな」と感じていた存在で、「そんな方々と自分がやっていけるのか？　なんとかしなければ」という焦りと不安の気持ちが強かったです。

ネットで情報を集めて、作った資料をひたすら暗記

レギュラー出演が決まったのは大学1年生の秋。この頃は生活の中でクイズの勉強に割く時間が長かった時期です。

それくらい私にとってレギュラーの座はプレッシャーであり、そうそうたるメンバーのみんなに少しでも追いつくために必死でした。

どのように対策をしてきたかというと、まずは漢字です。

『東大王』では難読漢字の読みが必ず出題されます。難読漢字を集めたクイズサイトの情報をベースに、さらに自分で継ぎ足しながら資料を作っていきました。

また、テレビクイズなので「画像」「映像」を使った問題も多く出題されます。世界遺産や植物、動物などについてインターネットで「〇〇 一覧」や「桜 名所」「47都道府県 グルメ」といった検索をかけて情報を集めていました。

時事ネタも大事なので、「ゆるキャラグランプリ」や流行語大賞、直木賞なども最低10年分くらいはおさえるようにしていました。

情報を集めるのは主にネットベースで、それをプリントアウトした資料を元に愚直《ぐちょく》に暗記していきます。

レギュラーが決まった当時は収録前に丸2日くらいかけて勉強していましたが、今はこれまでの蓄積があるため収録前の3時間程度。あとは食事の度に録画したクイズ番組をチェックするようにしています。

最初の頃は全く余裕がありませんでしたが、今は趣味のような感覚で楽しく勉強できるようになりました。

第1章

知る

問題を解くための「考え方」を身につけて
勉強を始めよう

問題を解くときの4つのプロセスを知ろう

どんな問題でも解けるようになる近道とは

序章までで勉強を始める前の目標設定ができるようになりましたね。

それでは、実際にどうやって勉強を進めていけばいいのでしょうか？

そこで本章では、**「定期テスト・入学試験などで出題される問題を解けるようにする」**という目標を前提に、実際どういう風に勉強をしていけばいいのかということを紹介していきたいと思います。

そのために、そもそもどういう考え方をすれば安定して問題が解けるようになるのか、という点について説明していきましょう。

問題を解くときのプロセスは次の4つだと私は考えています。

①問題のパターンを判断する　←
②パターンに対応する、解く手順（解法）を思い出す　←
③解くために必要な知識を引き出す　←
④解く手順を実行に移す

イメージが伝わりますか？　具体的な例を当てはめて考えると分かりやすいと思うので、簡単な問題を例に見ていきましょう。

例1：「本能寺の変で明智光秀に倒された戦国時代の武将の名前を答えなさい」

この問題を先ほどのプロセスに当てはめてみましょう。

①問題のパターンを判断する

「ふむふむ、『本能寺の変で明智光秀に倒された戦国時代の武将の名前を答えなさい』と書いてあるな。人物の名称を問う知識問題だ」

↓

②パターンに対応する、解く手順（解法）を思い出す

「人物の名称を問う知識問題だから、名前を思い出して、解答欄に書けばいいんだな」

↓

③解くために必要な知識を引き出す

「名前を思い出そう。えーと、『織田信長』だったよな」

↓

④解く手順を実行に移す

「よし、思い出した名前を解答欄に書くぞ。漢字を間違えないように気をつけよう」

もう1つ例を挙げて考えてみましょう。

例2：「底辺が3㎝、高さが2㎝の三角形の面積を求めなさい」

①問題のパターンを判断する

「ふむふむ、『底辺が3㎝、高さが2㎝の三角形の面積を求めなさい』と書いてあるな。三角形の面積が問われている計算問題だ」

↓

②パターンに対応する、解く手順（解法）を思い出す

「三角形の面積を問う計算問題だ。今まで解いた問題のパターンに似たものはあったかな。あ、公式を思い出して、それに数字を当てはめて、計算して面積を求めるパターンだ」

↓

③解くために必要な知識を引き出す

「えーと、三角形の面積を求める公式は『底辺×高さ÷2』だったな」

↓

④解く手順を実行に移す

「よし、問題文に書いてある数字を正しく公式に当てはめて計算して、解答欄にその数字を正しく記入するぞ」

問題を解くプロセスはすっかり理解できたでしょうか？

例1は知識問題、例2は公式を使って計算をする思考型の問題をイメージしています。ここで伝えたかったのは、**どんな問題を解くときでも同じ手順をたどることになる**ということです。

つまり、**この4つのプロセスをいつでも安定してたどれるように勉強することが、どんな問題でも解けるようになる一番の近道**になります。

まとめ

- ○①問題のパターンを判断する
- ○②パターンに対応する、解く手順（解法）を思い出す
- ○③解くために必要な知識を引き出す
- ○④解く手順を実行に移す
- ○どんな問題でも①〜④の4つのプロセスをたどる

問題を解くときの4つのプロセス

問.「底辺が3cm、高さが2cmの三角形の
面積を求めなさい」

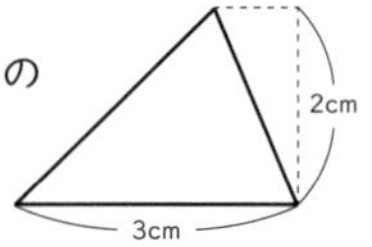

❶ 問題のパターンを判断する

三角形の面積を
問う計算問題だ

↓

**❷ パターンに対応する、
解く手順を思い出す**

公式に数字を
当てはめて
解くパターンだ

↓

❸ 解くために必要な知識を引き出す

三角形の面積を求める公式は
「底辺×高さ÷2」だったな

↓

❹ 解く手順を実行に移す

今回は、「3×2÷2=3」だ!
解答欄に「3cm²」と書くぞ

どんな問題を解くときも、必ず上記の①~④のプロセスをたどります。つまり、この4つのプロセスをたどる習慣が身についていると、いかなる問題でも安定して解くことができるのです。ですので、勉強をするときには必ず4つのプロセスを意識するようにしましょう。

必要なのは「ひらめき」ではなく「蓄積《ちくせき》」だと知ろう

問題を解くのにひらめきはいらない

ここまでで、問題を解くときの考え方が分かりました。では実際にどういう勉強をしたらいいのでしょうか？

その前に、**問題を解くためには特殊なひらめきは必要ない**という前提をお話しします。みなさんの中には、勉強にはひらめきや頭の良さなど、生まれつきの才能が必要ではないのかと考えている方もいらっしゃるのではないでしょうか？

実際、私自身も勉強を始めたばかりの頃は、そういった能力が必要なのかと勘違いしていました。塾に通っていた友達が問題をすらすら解くのを見て、「なんでこの人はすぐ分かるのだろう？　天才なのかな？」と思っていました。

でも自分も勉強を進めていく中で、そういったものは必要ないと気付いたのです。


なぜなら、問題を解くときに注目すべき点は既にいくつか決まっています。それを手がかりとするので、ノーヒントの状態で解き始めることはないからです。

つまり、解法を思いつくまでの流れや考え方は予《あらかじ》めある程度決まっているのです。

そのため、**大切なのは知識の蓄積と覚えたことをどれだけ実行できるか**ということになります。実は、自分の中に知識を蓄えてどれを使うのかという選択で解決する問題が9割なのです。

それだけでは解けない例外ももちろんあります。

しかし、そういうときも「自分の知っている問題と似ているかな？」と考えて、解き方を知っているものに引き付ければ、十分に対応できます。

要するに、**問題が解けるようになるためには特殊な才能は必要なく、解き方を蓄積して再現できるようにすることこそが大事**だということです。

つまり、**インプット**（＝解き方を蓄積）**とアウトプット**（＝再現できるようにする）**をバ**

ランスよく行うことが、問題を解けるようになるための勉強の中心なのです。

なお本書では、

・問題を解くのに必要な知識を自分の中に蓄えることを「インプット」

・覚えた事項を再現する、実行することを「アウトプット」

と定義します。これを意識しながら読み進めてくださいね。

まとめ

○ 勉強には特殊な才能は必要ない。積み重ねが大事

○「インプット」＝必要な知識を自分の中に蓄えること

○「アウトプット」＝覚えた事項を再現する、実行すること

○ 勉強の中心は「インプット」と「アウトプット」をバランスよく行うこと

重要な3つのインプット法を身につけよう

問題を解くために必要な3種類のインプット

ここでインプットに関する当たり前だけれど、とても大事なことを述べます。

- 問題のパターンを正しく判断するには、**パターンを覚えることが必要**
- 問題を解く手順を思い出すには、**解く手順を覚えることが必要**
- 手順を実行するのに必要な知識を引き出すには、**知識を覚えることが必要**

要するに、**問題を解く上では最低限覚えないといけないことがあり、それを定着**

させるインプットの時間が必要であるということです。

最初から何の知識もないまっさらな状態で問題が解ける人はいません。基本的な事項を誰かから教わったり、自分で勉強したりする時間があるから、問題が解けるのです。

ではどうやってこの3つのインプットを行ったらいいのでしょうか？　具体例を交えながら、一緒に見ていきましょう。

ここから私が勉強において大事だと思う点が凝縮されているので、注意して読んでもらえたら嬉しいです。

1．問題のパターンをつかむために共通点を探す

問題のパターンを覚えるには、基本的には教科書・塾のテキスト・参考書・配布されたプリントなどの例題を「問題状況を整理しながら読む」というので十分です。**ある種類の問題に共通する要素を探しながら読んでいきましょう。**

どういうことなのか、「つるかめ算」の例題で説明していきます。

例1：「100円玉と500円玉を合わせて10枚持っています。合計額は3800円です。100円玉と500円玉の枚数はそれぞれ何枚でしょう」

例2：「つるとかめが合わせて5匹います。つるとかめの足の本数の合計は14本です。つるとかめはそれぞれ何匹いるでしょう」

この2つの例題に**共通する要素を探してみましょう。**

76ページの図を見てください。

今回の共通点は、「2つの異なるものの数を問うている」「解くためのヒントとして、それぞれの個別の数量とその合計が与えられている」ということが分かりますでしょうか？

実はこれこそが「つるかめ算」の特徴なのです。こうやってある問題の共通点を見抜くことが、**例題の問題状況を整理しながら読むという作業**になります。

この作業をたくさんすることで、問題のパターンの把握と分類がすらすらとできるようになります。

なぜかというと、**見つけた共通点こそが「問題のポイントとなる要素」であり、それを見抜くことが解くためのパターンを把握することにつながる**からです。

そうやって問題のパターン化ができると、**新しい問題と出合ったときでも自分の知っているものに引き付けて解ける**ので、正答率が上がります。

教えられた例題だけは解けるのだけれど、似たような練習問題が全く解けないということがよくあります。

なぜこうなってしまうかというと「何を問うているのか、どんな情報が与えられているか」という問題のパターンを特徴付ける要素がつかめていないからです。

問題状況を整理しながら読む例（つるかめ算）

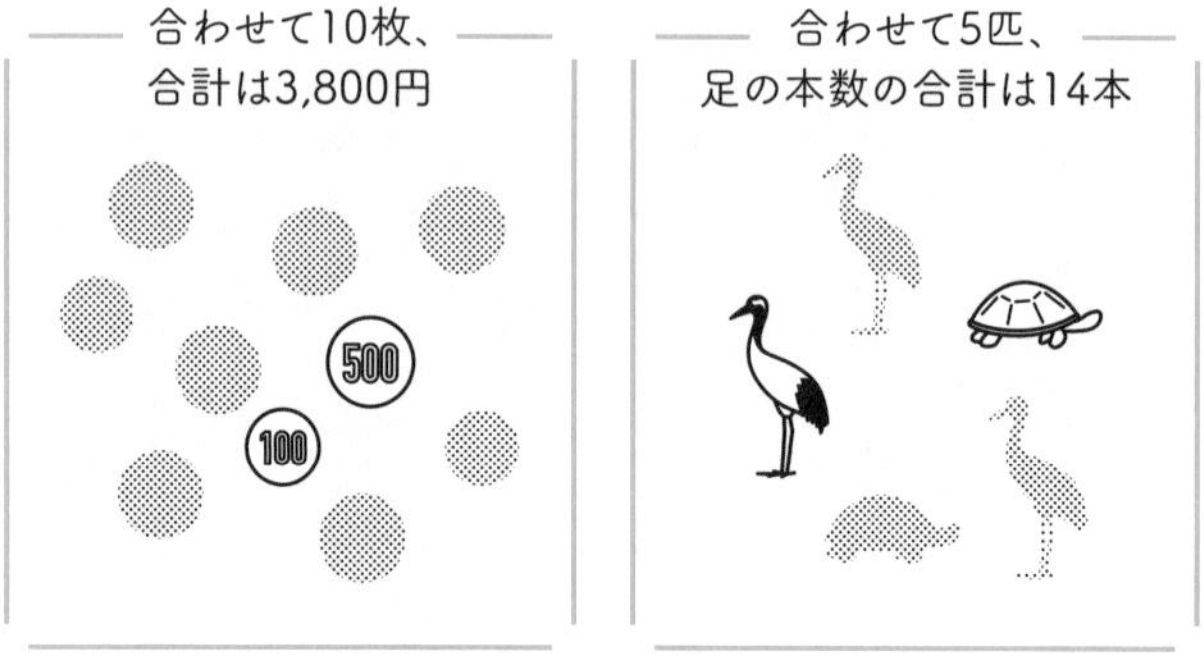

- 100円玉と500円玉、つるとかめ、という「2つの異なるものの数」を問う
- 「ヒント」は「個別の数量（100円・500円、2本・4本）」と「合計（3,800円、14本）」

↓

これらの共通点が「つるかめ算」の特徴

ある問題パターンに共通する点こそ、
その問題のポイント
ポイントを見抜くと、解くための
パターンを把握できる

問題のパターンをつかむために、問題状況を整理しながら読みましょう。そうすることで、ある問題に共通するポイントが見えて、解き方も分かります。「問題のパターン化」ができると、新しい問題に出合っても自分の知っている解法に引き付けて考えることができます。

つまり、既に知っている問題と同じ解き方ができるのに、数値や書き方が変わってしまうと新しいパターンだと勘違いしてしまった状態なのです。

でも、**問題のポイントとなる要素**さえ知っていれば、どのパターンか、自分が知っているものか、知っている問題の中では何に似ているか、という判断が正しくできるようになります。

教科書・塾のテキストの例題をインプットの材料としてオススメしている理由は、**一番基礎的な問題なので最低限知っておくべきパターンを網羅《もうら》**するのにちょうどよいからです。

また、例題の文章はとても簡潔で、解く上で最低限必要な情報のみが記載されている場合が多いですよね。ということは、**問題のポイントとなる要素の抜き出しが一番行いやすい**のです。

ですので、最小限の労力で一番基本的な部分をインプットすることができます。

2. 最初は完コピで解く手順を身につける

問題を解く手順も**例題を使って覚えましょう。例題を何も見ずに自力で解けるようにする**というので十分です。そうすると手順が自然と身につくようになります。

ここでカギになるのは、初めて習うパターンの問題は、**最初からムリに自力で最後まで解こうとしなくていい**ということです。

1分ぐらい考えてみて解き方が全く見えない場合は、すぐに問題集の解答や先生が黒板に書いた解説などを見てしまって大丈夫です。

なぜなら、例題という基本的な問題が解けない場合には、時間をかけて考えても適切な解き方が浮かぶとは考えにくいので、長時間考えるメリットがないのです。

たとえば、料理をしたことのない人にレシピもない状態でビーフシチューを作りなさいと言っても、時間をかけたところで作れることはなかなかありませんよね。

ちょっと考えて、ビーフシチューの作り方が全く分からないと思ったら、レシピを探して一度作ってみればいいということなのです。

そうしてレシピを見ながら実際に作ってそれを覚え、また作ろうと思ったときに思い出せるようになればいいというのが、今回伝えたいことです。

最初はそのようにやってみてから、最終的には解答を見なくとも1人で例題が解けるように復習はしっかり重ねましょう。

そうすれば問題のパターンに対応する手順はしっかりおさえられるはずです。

3. 必要な知識は出合う度に覚える

解くために必要な知識を覚えるには、2と同じで**基本的な例題を何も見ずに自力で解けるようにします。**

例題を解く中で**必要になった公式・知識などはその度ごとに覚えれば十分**です。

たとえば、古文の現代語訳を行う場合、品詞分解を行ってから、分解した部分を現代語に訳していくという手順を行う必要がありますよね。

この「古文の現代語訳をする」という手順をたどるには、「単語の現代語での意味」や「動詞の活用形」などの知識も必要になります。

そうやって、例題を解くために必要な知識が出てきたら、覚えたいところに**マーカーなどで印をつけましょう。**

そして、**それを自分でゆっくり暗記をする時間を取ることが大事**です。これを繰り返すと基本的な知識が身についていきます。

たとえば私の場合は、古文の教科書の活用を全部緑のマーカーで塗ってひたすら覚えていました。

このように、**最低限覚えるべきポイントに注目しながら問題を解き、その部分に印をつけて暗記することを愚直に続ける**と知識がついてきます。

ここまでで、重要なインプットの3種類の方法は分かりましたでしょうか？

いつでも読み直して、しっかり理解するとみなさんの力になると思います。

ちなみに、1～3のインプットは**好きな順番でやってかまいません。**自分のやりやすい方法、また問題によっても変えながら試してみてください。

まとめ

○ある種類の問題同士に共通する要素を探しながら例題を読む

○1分考えて、解く手順が思いつかないなら解説を見る

○最初は何度解説を見てもいいけれど、最後には1人でできるように復習する

○必要な知識は出合う度に印をつけて覚える

2種類のアウトプットを実践しよう

知識は実践できるようにする必要がある

今度は、**覚えた事項を再現する・実行する**、**アウトプット**の話に移ります。

そもそも、なぜアウトプットが必要なのでしょうか？　それは、**覚えた知識を適切に使える状況にするために不可欠**だからです。

料理にたとえると分かりやすいです。

たとえば、包丁で「千切り」を行うときのことを考えてみましょう。手元には食材があり、作りたい料理の名前・それぞれのレシピ・必要な道具、をそろえた状況だとします。その3つさえあれば、「千切り」はできるでしょうか？

実際問題、「千切り」を知っているからといって、できるとは限らないのが現実ですよね。実際に包丁を握って切る作業を実践しなければならないのは、明らかです。

勉強も同じです。問題のパターン・解き方の手順・必要な知識、を知っているからといって実際に解けるとは限らないのが現実です。問題を実際に解いて、4つのプロセス（68ページの図を参照）がきちんとできるようになるまで練習する必要があります。実践を重ねて、**知識を自由に使うことができる**ようになって初めて、問題を解けるようになります。

では、実際にアウトプットを練習するためにはどんな方法があるのでしょうか？オススメしたい方法が2種類あるので、それぞれ紹介していきます。

1．例題と同じパターンの問題を短期間でたくさんの量こなす

この方法のメリットは、最初から効率的なやり方で問題を解くので**変なクセが身**

につかず、ムダなく勉強を進められることが挙げられます。

最初に自己流の解き方でたくさんの問題を解いてしまうと、そのやり方が身についてしまって後から修正が利かなくなり、非効率的に解くクセがつく可能性があります。

ですので、覚えたての早い段階で同じパターンの問題を10題、20題と、効率のよい解法で一定量解くことをオススメします。

さらに、この方法だとインプットから時間を置かないでアウトプットすることができます。そのため、**知識の定着を深める**ことができ、より正確に理解することができるという利点もあります。

たとえば、数学の公式などは文字が多くて長いものばかりなので、間違えて覚えてしまうことがありますよね。

でも解法を覚えた直後に問題を解けば、正しく知識をインプットできているかを確認することができます。実際に解いたことで、一度覚えたことが忘れにくくなるかもしれません。

このように、時間を置かず似た問題を解くことは、インプットの精度を上昇させることにもつながります。

2．時間を空けてから違ったパターンの問題をまとめて解く

こちらのメリットとしては、**インプットしたことを長期的に覚えている状態にしやすくなる**ことがあります。

人間は多かれ少なかれ、覚えたことを時間とともに忘れてしまいますよね。ですので、「そろそろ忘れたかな」と思うタイミングに、アウトプットの練習を行うことで、短期的な記憶を長期的に定着させることができます。

さらに、**違ったパターンの問題をまとめて解くことで、問題のパターンを判別する練習ができる**という利点があります。これは同じ問題を解く1の方法だけだと強化できないポイントです。

このように2種類のアウトプットを組み合わせることで、覚えた知識や手順が身

につきます。その結果、問題処理のスピードと正確性が上がり、実際に解きやすくなっていくのです。

ちなみに、この2種類のアウトプット方法に関しては、**1→2の順番で行いましょう**。「2．時間を空けてから違ったパターンの問題をまとめて解く」よりも前に、「1．例題と同じパターンの問題を短期間でたくさんの量こなす」方が、基礎的な内容なので最初にやるべきなのは明らかですよね。

まとめ

- 2種類のアウトプットの練習をするといい
- 1．例題と同じパターンの問題を短期間でたくさんの量解く
- 2．理解してから時間をある程度空けて、違ったパターンの問題をまとめて解く
- 必ず1→2の順番で行うこと

アウトプットを楽にする方法を知ろう

「できる問題」は解かなくていい

「問題をたくさん解くのに時間がかかってしまいます。解く量を減らす方法を教えてください」という質問をいただくことがあります。

これに関しては、迷いなく解ける問題については解かなくていいです。

ただ、「解くときに迷いが生じる問題に関しては、量を減らさずにきちんと解かなければいけない」というのが私の意見です。

というのも、100%分かっていることを繰り返しやったところで、新たに何か学べるわけではありませんよね。一方、その時間でできていないところの穴を埋めていけば、新しくできる問題が増え点数が伸びることに直結します。

では迷いなく解ける問題とはどんな問題をいうのでしょう。

それは、68ページの図で説明した①～④それぞれが、間違いなく判断できるものです。それらはもうできているので、解かずにスキップしても大丈夫です。

私は、こういった問題の横には「**解かなくても大丈夫**」**と書くことで、復習の際に解く手間を省いて**いました。

このように、できているものにかける時間を減らして、できないものを解く時間を増やしましょう。

解く過程を工夫することで時短

「問題を早く解く方法を教えてください」という質問もいただきました。

これに関しては、そのような方法は確かにあります。

しかし、どこかの過程を省略して解くことになる場合が多いので、「**すべての問題**

に早く解く方法を取り入れることはオススメできません」というのが私の答えになります。

一つひとつの問題を、実際にしっかり解かなければ身につかない力もたくさんあるからです。たとえば計算力や漢字・単語を正しく書く力などはそれに当たります。

ただ、例外的に早く解いてもいい場合が2パターンあるので紹介しましょう。

早く解くための方法その1：声に出して解く

まずは、**文字で答えを書かずに声だけ出して答えを確認する方法**です。同じ文字数ならば字を書くよりも話す方が圧倒的に早いので、時間を節約することができます。

これはとても便利な方法ですが、「**答えが短い**」かつ「**文字で答えを正しく書く自信がある**」問題に限ってのみ使うべきだと思います。

なぜなら、答えが長いものだと自分の言ったことを忘れて正誤判定ができなくなってしまいますよね。

さらに「鼎《かなえ》」など、難しい漢字が答えとなる問題については、正確に書けるかどうか文字でも確認した方がいいでしょう。
一問一答形式の問題などはまさにこの2つの条件を満たす傾向が強いので、声に出して答える方法を取り入れると時間を大幅に節約することができます。

そして、この方法には**口と耳の両方からの刺激を得られることで覚えやすくなる**というメリットもあります。

これは、あくまで私の想像ですが、単一の刺激よりも、いろんな刺激があればあるほど記憶に残りやすいのではないかと思います。歌をよく覚えているのも、耳で聞きながら自分の口でも歌うというダブルの刺激があるからではないでしょうか。

このように、声に出す方法には実践してみる価値があります。両方の条件を満たす問題については、この方法をぜひ使ってみてください。

早く解くための方法その2：答案の骨子だけを書く

この方法は日本史や世界史でよく出題される、「**長文の論述問題**」かつ「**初めて解**

く問題ではない場合」に限ってのみ使える方法です。記述式の問題の解答を全部書かずに、要点のみをノートに箇条書きにして解くという方法です。

たとえば、東大の世界史の二次試験では、450〜600字で解答する「大論述」と呼ばれる問題が出題されます。実際に2020年に出題された問題の一部を見てみましょう。

「東アジアの伝統的な国際関係のあり方と近代におけるその変容について、朝鮮とベトナムの事例を中心に、具体的に記述しなさい」（600字程度）

このような論述形式の問題を勉強するとき、600字の文章を全部書くと時間が長くかかってしまいますよね。

そのため、書かないといけない内容の要点のみ箇条書きにして、実際の論述はせずに復習を終えるという方法を取ることがあります。

なぜこれが許されるかというと、書く内容の要点さえ分かっていれば文章は組み立てられるので、あえて練習しなくてもいいと考えているからです。

これが英語の論述問題だったら、単語や文法などを表現する過程で間違えたり、英作文に慣れていないために時間を多く使ったりするかもしれません。

一方、日本語であれば、内容さえ決まっていれば、それを文章にするのは比較的簡単なので、あえてそれを練習する必要はなさそうですよね。

また、このように骨子だけ文字で書くことで、どこが重要か自分で見極め

答案の骨子だけを箇条書きにして早く解く方法

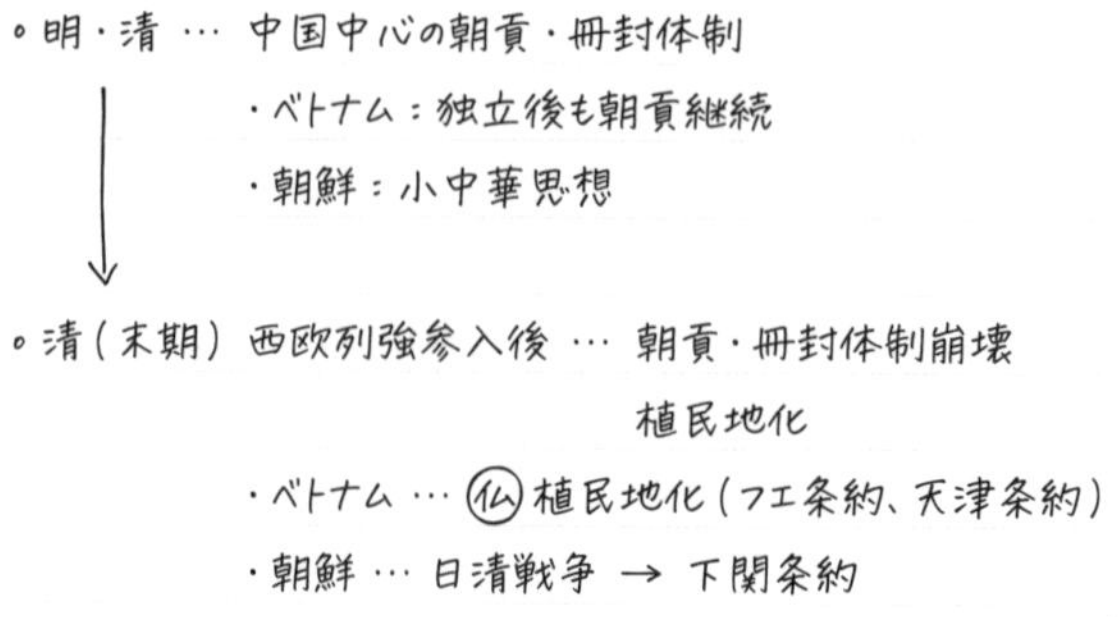

。明・清 … 中国中心の朝貢・冊封体制
・ベトナム：独立後も朝貢継続
・朝鮮：小中華思想
。清（末期） 西欧列強参入後 … 朝貢・冊封体制崩壊
植民地化
・ベトナム … ㊕植民地化（フエ条約、天津条約）
・朝鮮 … 日清戦争 → 下関条約

「論述型」かつ「解いたことのある問題」は答案の骨子だけ書くことで時短ができます。

られるようになります。そして重要な部分に対する理解も深まるので、将来論述するときに使える情報のストックが増えるというメリットもあります。

このように、解く作業の一部をうまく省略すれば、解く時間も大幅に節約できる上に記憶が定着し理解が深まります。

ぜひ、取り入れていい問題に関してはこれらの方法を使ってみてください。一石二鳥になります。

まとめ

- ○一瞬で処理できる問題は解かずに時間を節約
- ○「短答式」で「答えを正しく書ける」問題は口頭で解く
- ○「論述型」で「一度解いたことのある問題」は解答の骨子だけ箇条書きで確認すれば効率がいい

インプットとアウトプットは交互に行おう

それぞれ高め合う相互作用を利用する

みなさんの中には、知識を完璧に覚えるまで一切問題を解かないという方がいらっしゃるでしょうか？

あるいは、教えてもらったことを完全に理解して、１００％覚えきるまで次のステップに移らない、という方も多くいらっしゃるかもしれません。

私はこの方法だと**勉強につまずきやすくなる**と思います。

なぜならば、問題が解けるようになるまでに**必要以上に時間がかかってしまうし、インプットの精度自体も低くなり間違いやすくなる**と実感しているからです。

インプットとアウトプットは交互に、あるいは同時並行でやっていきましょう。

昔、私が三角関数の加法定理の理解につまずいた話をします。

加法定理の公式は、$\cos(\alpha-\beta)=\cos\alpha\cos\beta+\sin\alpha\sin\beta$などですよね。

この式を習ったばかりの私は、これを自分で導けるようになって、完璧に理解してからでないと、問題を解いてはいけないと思っていました。

その結果、使い方のイメージが全くもてませんでした。

公式を覚えることがただの文字の羅列を覚える作業となり、身につけるのにかなり時間がかかってしまいました。

さらに、それが不正確な暗記にもつながってしまったのです。

なぜなら、＋や－を誤って覚えていても問題を解いていないため気付く機会すらなかったからです。

結局、長い時間をかけて間違った式を覚えるというムダな時間を過ごしてしまいました。

私の失敗を踏まえてみなさんにお伝えしたいのは、**インプットはアウトプットの質を高めることに役立つし、その逆も然《しか》り**ということです。ものを覚えるためには、問題を解くことで初めてスタートラインに立つことができます。

問題を解けば、覚えたことが正しかったのか確認でき、それを活用する能力が身につきます。また解くために必要な知識が足りないと気付くことで、インプットしきれていなかった場所を見つけられ、そこを埋めることにより精度が高まります。

つまり**完璧なインプットをすることにこだわる必要は全くない**のです。

インプットとアウトプットの正のループ

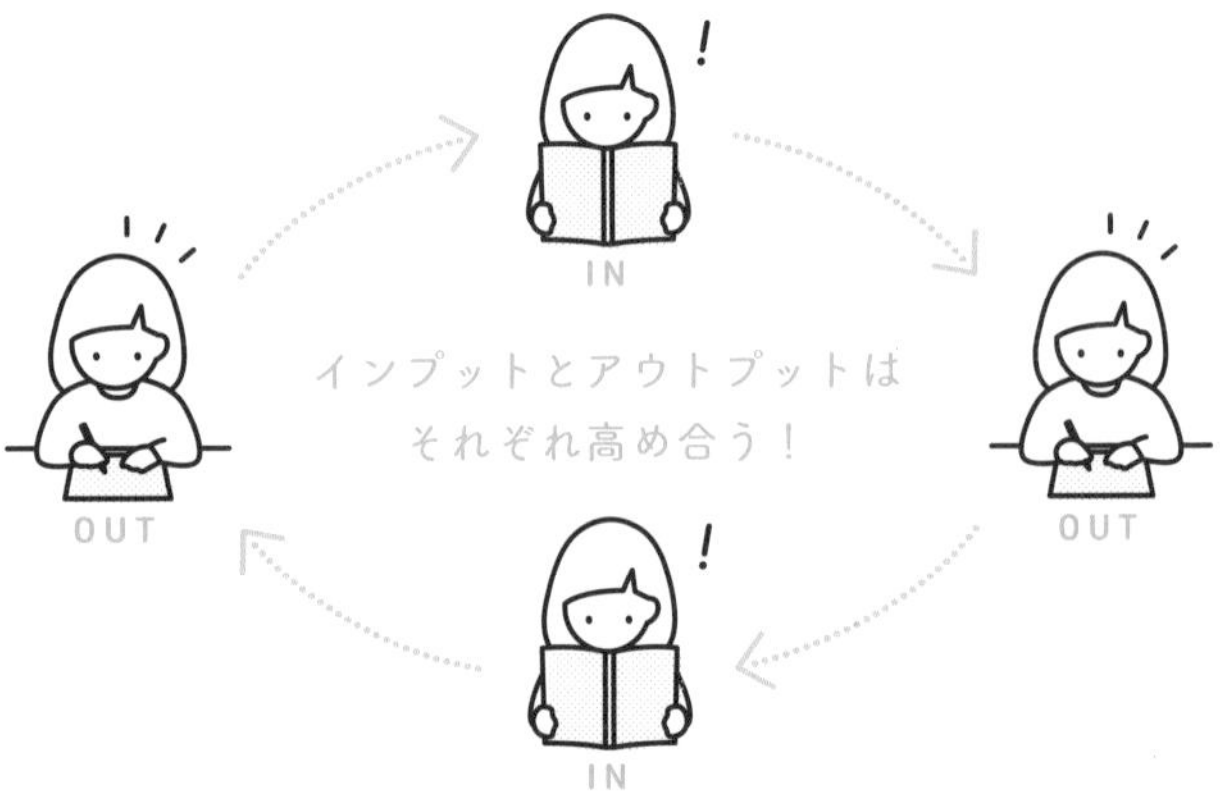

インプットとアウトプットはお互いの質を高めるので、交互か同時並行で行いましょう。

最初は**精度の低いインプットで十分**ですし、同時に勇気をもってたくさんアウトプットをすればいいのです。

そうすることでどんどんインプットの精度が高まります。結果、短期間で正確な物事の記憶ができ、短い時間でたくさんの問題が解けるようになるのです。

まとめ

- 最初から完璧なインプットを目指すと勉強につまずきやすい
- 精度の低い状態から始めていいのでインプットとアウトプットは交互に行う
- インプットとアウトプットにはお互いの質を高める作用がある

「東大王」になって良かったこと

テレビを通じて社会貢献につながっていく喜び

テレビで私のことを紹介していただく際、スタンフォード大学のプログラムや松《まつ》本《もと》清張《せいちょう》記念館の「中学生・高校生　読書感想文コンクール」のことを取り上げていただくことが多いです。

そうやって学生への無償の支援を続けてくださっている団体の情報発信のお手伝いができたことは本当にありがたいことだと思っています。私自身が、それらの無償の教育を受けさせていただいた生徒の1人だからです。

特にStanford e-Japan プログラムは私が日本の1期生に当たります。

当時、他国ではこのプログラムが既にありましたが、日本にはありませんでした。教授や支援してくださる有志の方々が「これからの日本とアメリカの架《か》け橋とな

ってくれる学生を育てていきたい」という強い思いで新たに発足されたのです。

私はこのプログラムが少しずつ大きくなっていった過程を発足当時からずっと見てきました。

「スタンフォードが認めた才媛」というキャッチフレーズによって、少しでもこのプログラムのことを知る方達が増えたことが、私は本当に嬉しいです。

実は年に一度、このプログラムで最優秀賞を受賞した生徒達が、お世話になった教授達を囲む会があります。

そこで「最近は企業の支援も受けられるようになって、参加してくれる学生も増えましたよ。参加者からはよくあなたの名前が出ますよ」と伺うと、私は本当にテレビに出て良かったなと思います。

私は、無償で学生を支援し貴重な学ぶ機会を与えてくださったこのプログラムに感謝しており、これから寄稿などを通して恩返しをしていけたらと考えています。

そして、貧富の差によって教育に差が生まれている現状を少しずつでも変えていく行動をしていきたいと思っています。

高校の先生が渡してくださった1枚の『東大王』参加募集のチラシが、このような社会貢献につながっていくとは、人生は何が起こるか分かりません。

勉強だけでは得られないたくさんの学びに感謝

『東大王』をはじめ『プレバト!!』やそのほかの番組に出演させていただくようになり、想像以上にいろいろな方に私のことを知ってもらえたように思います。

私のインスタグラムのフォロワーさんは33万人を超えました。ここに寄せられるコメントで私はこの世の中で起こっているさまざまなことを教えてもらっています。

子育てに奮闘中のお父さんやお母さん、部活を頑張っている方、試験に追われている方、また学校になかなか行くことができなくて悩んでいる学生さんもいます。

天災で被害に遭われた方、心や身体の不調と闘っている方、勉強がしたくてもできない環境の下で進学したいと考えている方、将来をどう選んでいいか分からず悩んでいる方も多いです。

私には、悩んでいる方に思いのまま状況を書く場所を提供することと、その話を読んで投稿したり時々返信したりすることくらいしかできません。

しかし、そうやって自分の状況を書くことで頭の中が整理されたり、客観的に自分を見られるようになったりして、気持ちを軽くして欲しいなと考えています。

毎日とてもたくさんの悩みや日常の報告などが寄せられますが、そのほとんどの最後の1行には、いつも私への応援コメントが書かれています。

私はその一つひとつに大きな力をもらっています。

なんとなく流れてくる私のインスタグラムで、少しでも元気になってくれたら嬉しいなと思って毎回投稿しています。


「『東大王』に出演せずに大学生活だけを送っていたら私はどうしていたかな？」と考えることがあります。

勉強は私の得意分野なので、人のことに関心をもたないまま、あまり悩むこともなく勉強だけに打ち込んでいたのではないかと思います。

周りも東京大学の学生がほとんどという特殊な環境です。私はただでさえ、とんちんかんなところがあるのに、ますます常識から離れた人になってしまっていたかもしれません。

でも『東大王』に出演させていただくことで、学生だけでなく芸能人の方々やスタッフさんの仕事をする姿を見て、真剣に仕事に取り組むことの大切さとか、人に対する心配りだとか、思いやりとか、たくさんのことを学ばせてもらいました。

大学のテストや司法試験の勉強などで収録に参加できない時期があり、毎回復帰するときは申し訳ない気持ちなのですが、どんなに長く現場を離れていても、「おかえり」と温かく声をかけてくださったみなさんのことを私は一生忘れないと思います。

私の代わりにクイズを頑張ってくれた「東大王」メンバーがいなかったら、私は予備試験などの資格試験に集中することもできませんでしたし、つらいときも楽しいときも一緒にいてくれたメンバーに大きな信頼と感謝の気持ちをもっています。

本当にたくさんの方に見守られ、応援していただきました。これからの長い人生の中で何か恩返しができればいいなと、いつも心から感謝しています。

第2章 憶える

知識を自分のものにしよう

暗記の基本的なコツをつかもう

覚える能力は鍛えることができる

「暗記ができない……」というお悩みをいただくことがあります。

でも、**ものを覚える能力は練習によってどんどん鍛えることができる**のです。覚える練習をコツコツ続けていくうちに、1カ月後にはびっくりするほど早く正確にできるようになっていきます。

私が高校2年生から塾で世界史を習い始めたときの話をしましょう。

当時の高校の世界史では特定の分野を深く掘り下げる授業を受けていたので、受験に対応する知識を私はほとんどもっていませんでした。

一方、塾では既にいろいろな用語を習っている進学校の生徒達と同じペースで覚えなければならなくなり、本当に困りました。

ほかの科目も勉強する必要があったので、300~400ぐらいの全く知らない人や王朝などの名前を毎週2日間で覚えなければなりません。

始めは「こんなの無理だ」「なんて無理なスケジュールなのだろう」と思って逃げ出したいような気持ちでした。

「チャンドラグプタ1世」「ルーム・セルジューク朝」「ドヴァーラヴァティー王国」……全く馴染みのない用語が次から次へと出てきてとても覚えづらく、かなり苦労した記憶があります。

しかし1カ月ぐらい辛抱して覚えることを続けていたら、**300、400の用語がどんどん短い時間で覚えられるようになった**のです。

このように、ものを覚えることは最初はつらいですが、コツをつかみ身体が慣れていくとどんどん楽になっていきます。

つまり、**コツさえつかんで鍛えれば暗記は絶対にできるようになる**のです。

そこでまずは暗記の基本的なテクニックからご紹介していきましょう。

コツその1：問題形式で記憶を確認する

何かを覚えたいとき、私はまず初めに、とにかく**教科書・プリント・配布された資料などを加工**します。

やり方としては、「ここは覚える必要があるな」と思った部分に**緑のマーカーを引いたり、問題やプリントの空欄部分にオレンジのペンで答えを書き込んだり**します。

そうすると、マーカーを塗った箇所やオレンジ色のペンで記入した箇所が、赤シートをかぶせるだけで全く見えなくなりますよね。

それを活用して、覚えたい内容を赤シートで隠してチェックしていきます。

そして**覚えられていなかったところに「正」の字を1画ずつ書いて印をつける**ようにしていきます。こうやって**問題形式で記憶を確認できるようにする**のです。

この方法が面倒だという方は、**覚えたことに対応する問題をインターネットで探**

すとよいと思います。

たとえば、「元素記号　テスト」「化学反応　問題」のようなワードで検索すると、既に問題形式になっている素材がたくさん見つかります。それをプリントアウトして問題集の代わりに使えば、解きながら確認することができます。

教科書・プリントなどを問題集として使えるように加工したり、そのまま使える資料を印刷したりすることで、覚えたことをすぐアウトプットできる環境が整います。それを活用して、問題形式で暗記していくのです。

先ほども言った通り、インプットとアウトプットは質を高め合ってくれるので、覚えて答えることを繰り返すと記憶が定着しやすくなります。

ものを覚えるとき、まとめノートを改めて作って暗記を行う方法もありますが、私はそのやり方は行っていません。

教科書やプリント、ネットの素材を使用する方が、手間と時間がかからないからです。

綺麗に整理されたノートを作ってから改めて暗記を行っていると、単に教科書にマーカーを引いて暗記を行う場合と比較して、どうしても時間が余計にかかってしまいますよね。

ノートを作ることよりも、**問題を解いて記憶を確かにする作業に時間をかけた方が記憶の定着が良くなる**と私は考えているので、まとめノートは作らないのです。

コツその2：苦手なところを重点的に確認する

先ほど、赤シートで隠してチェックして、**覚えられていなかったところに正の字を1画ずつ書いて印をつける**ようにしよう、という話をしました。

2回目、3回目……に復習するときは、基本的に印をつけた箇所だけ確認すればいいのです。

人それぞれ、覚えやすいところ、覚えにくいところがあります。

なので、覚えにくいと感じるところに、重点的に時間とエネルギーを集中させることが大事になります。

正の字を1画ずつ書くと、後で見返したときに、どの程度自分にとって覚えにくい情報なのかがパッと見て分かるようになります。結果的に、現在できていないことにエネルギーを集中しやすくなるので、暗記の効率が良くなります。

ですので、**できないところには必ず印をつけて重点的に復習**をしましょう。

コツその3：分割してちょっとずつ覚える

これが最も大事な点といっても過言ではないのですが、一気に覚えようとしないこと、**ちょっとずつ覚えて次に進むことこそが暗記の鉄則**になります。

英語の単語帳を例に説明します。1日10ページを進めるとして、1ページあたり4つぐらい知らない単語が載っているとしましょう。

私の場合、全く知らない新しい単語の場合、意味を何も見ずに正確に覚えていられるのは10単語ぐらいだと思うので、2〜3ページずつ覚えるようにします。

2ページ分しっかり覚えられたと思ったら、英語だけを見て、**パッと意味が分かるかどうかテスト**をします。**分からなかった場所には正の字のチェック**を入れます。

そして正の字を入れた部分を**また覚え直して、**その部分だけ**テスト**をします。

もう1回やっても分からない場合は**さらにチェックを入れて、**覚え直してから**再びテスト**をして……ということを繰り返します。

「9割方分かったな」となったら次の2ページに進みます。そして同じことを反復し続けます。

ちょっとずつ進めることで、何も見ずに思い出せるぐらい、**一時的に記憶が深く頭に定着した状態をつくる**ことができるでしょう。

この状態をつくり出せると、次に進んだとしても**前に覚えたことが少なからず頭に残る**ので、全体の8割ぐらいは覚えたままの状態でいられます。

これにより、前にやった部分の記憶が抜けてしまうことを防止できて、確実に記憶量を増やすことができるのです。


暗記が苦手な方に共通する特徴として、1つの範囲を区切らず、全部一気に覚えようとするというものがあると思います。

しかし、たくさんのものを一気に覚えようとすると、一つひとつが定着する前に新しい内容を詰め込むことになってしまいますよね。

そうすると、過去に覚えたものがどんどん抜け落ちてしまい、最終的に何も暗記できなかった、という事態につながります。

ですので、**一度記憶が深く定着した状態をつくる**こと、そしてその状態になってから新しいものを覚えることが、たくさんのものを覚える基本になります。

コツその4：忘れかけた頃にまとめてチェックする

先ほどの英語の単語帳を例に説明していきましょう。

まずはちょっとずつ覚えるという話をしました。この場合だったら2ページずつ進めることがポイントだとご理解いただけたと思います。

もう1つ大事なのは、最初に覚えたところを「忘れたな」と思ったタイミングで、**暗記したところの最初から最後までまとめて全部テストをすること**です。

先ほどの例でいうと、5ページぐらい進めたところで、「1ページ目で覚えたことを忘れてしまっているかも」と思うかもしれません。そうしたら、そのタイミングで1～5ページ、全部の単語をまとめてテストしましょう。

このとき、**100%正解できるところ以外のすべての部分をテストする**ことがポイントです。時間が経って忘れてしまった箇所もあると思うので、自信がない箇所はなるべくすべて確認する方が望ましいです。

この作業は覚えたい箇所の9割程度が正解できるようになるまで繰り返します。これができたら、また分割して覚える作業に戻っていきましょう。

そしてまた5ページぐらい進んで、「忘れたな」と思ったら、5ページ分一気にテストして……という風に作業を進めるといいです。

こうして**忘れた頃にまとめて復習することで記憶がさらに定着する**ようになります。目標に達するまで、ひたすら覚える、テストする、印をつける、を反復しましょう。

コツその5：日をまたいでさらにチェックする

いったんきちんと頭に定着していることであれば、寝ることで記憶の定着がさらに深まるので、しっかり寝た翌日でも暗記した内容を覚えたままでいられます。逆に、記憶の定着があいまいだと、しっかり寝た後には暗記した内容が全部抜け落ちてしまっています。

ですので、ちゃんと記憶が定着したか翌日確かめてみましょう。日をまたいでも覚えられているのなら、記憶が根付いている証拠になります。**必ず最初に覚えた日とは別の日に、**暗記した事項を覚えたままか確かめましょう。

まとめ

- 問題形式で記憶をチェック。緑マーカー、オレンジペン、赤シート、インターネット上の資料を活用するといい
- 正の字をつけて苦手なところを重点的に確認する
- ある程度分割して覚えたらまとめてテストを行う
- 日をまたいで確認を反復する

応用的な暗記の仕方 その1

「理屈」で紐《ひも》付けよう

なぜ？ を考えてから覚える

ここからは、特殊な場合に使える便利な暗記方法を紹介していきます。暗記の労力や時間をぐっと減らせるので、基本テクニックが分かった上でこちらを使っていただくと、すごくスムーズなインプットの実現につながると思います。

まず、何かを覚えるときには「なぜ？」を考えるようにしましょう。**理屈がある事柄は、背景まで考えてから覚えるとすんなりと思い出しやすい**からです。

どの科目でも「理屈による紐付け」というのはできます。社会でも理科でも英語でも、使える科目・使える局面はいくらでもあります。

具体的に見ていきましょう。

まずは社会の地理。中学受験の地理では、「各都道府県でたくさん生産される農産物を答える」という問題があります。たとえば、青森県なら「リンゴ」、愛媛県なら「ミカン」、山梨県なら「ブドウ」というのが答えになります。

都道府県ごとによく作られる農産物をただただ暗記するのはなかなか厳しいですよね。なにせ47都道府県もあるのですから。

そこで使えるのが**理屈と一緒に覚える**というテクニックです。


突然ですが、植物が育つには何が必要でしょうか？

花を育てるとき、何に注意するか考えてみましょう。毎日水をやること、日光の当たる場所に植木鉢などを置くこと、春など暖かい季節に芽が出るように注意することなどだと思います。

ここから言えるのは**植物を育てる上で、水・光・温度、という環境が重要な要素**になるということです。

ここで先ほどの例に戻ると、農作物も植物に含まれますよね。

したがって、その農作物がどんな環境を好むのか、水・光・温度の条件をおさえることで、**どこなら良く育ちやすいかという見当が導き出せる**ようになります。

たとえばリンゴの場合、涼しい気候を好みます。

ここから、「北の方にある都道府県の生産量が多そう」、ほかには「標高が高くて寒い場所の生産量が多そう」という見当がつきます。

リンゴの生産量ランキング（2019年度・以下同じ）を実際に見てみると、1位青森、2位長野、3位岩手でした。北にあって寒そうな青森、岩手と、山が多くて標高が高い地域が多い長野がランクインしていて、まさに見当をつけた通りの結果となっていますね。

「リンゴは涼しい気候が好き」。たったこれだけを覚えれば、都道府県別の農産物生産量ランキングに理屈がつくようになり、**暗記がぐっと簡単になります**。

ほかに例で挙げた農産物を見てみましょう。

ミカンは暖かくて湿潤な環境を好みます。それを知った上で、ミカンの都道府県別生産量ランキングを見てみると、和歌山、愛媛、静岡、という順に続いています。どの都道府県も比較的南の暖かい地域にあり、海沿いという湿潤になりやすい環境にあるので、まさにミカンの好む環境に当たります。

このように、地理を学ぶ上でも理屈の紐付けを活用することができます。

科目の垣根を越えて知識を紐付ける

次に先ほど言及していなかった、ブドウについて紹介するのですが、ここでは**理科・社会の両方の分野の知識を紐付ける**ことで理解がしやすくなります。

まず前提として、ブドウは水はけのよい環境を好みます。

では、そのような環境にはどんな場所が考えられるでしょうか？

実は、理科の小学校の授業で習う「扇状地《せんじょうち》」という地形こそが、ブドウが好む水はけのよい環境に当たります。

でも、「扇状地がどういう環境なのか、なぜ覚えられるんだ」と思われるかもしれません。しかしここでも理科の知識を使えば、理屈による紐付けが行えるのです。

扇状地とは、山から流れてきた川が平地とぶつかる部分（谷口）に土砂が堆積してできる扇形の地形のことを指します。これがどうやってできるかを説明すると、なぜ水はけがよいのかということが見えてきます。

山は傾斜があるので、山を流れる川は下に向かって勢いよく水が流れていきますよね。その川の流れには、大きい石も小さい土砂も混ざっています。

ところが「谷口」とぶつかると、そこで水の勢いは一気に落ちます。さらに、傾斜がゆるやかな平地では、水は勢いを失いゆっくり流れるようになるので、粒が大きめの石が堆積物として溜まるようになります。

したがって、そのような粒が大きい堆積物で作られた地形（扇状地）は、土砂の隙間から水が抜けていく土地、つまり水はけのよい状態になるのです。

だから、**「扇状地」は水はけがよく、ブドウの栽培に向いた環境といえる**のです。

それを知った上で、ブドウの生産量ランキングを実際に見てみましょう。

甲府盆地がある山梨、長野盆地・松本盆地などがある長野、山形盆地がある山形の順にトップ3となっています。

「扇状地」ができるまでの仕組み

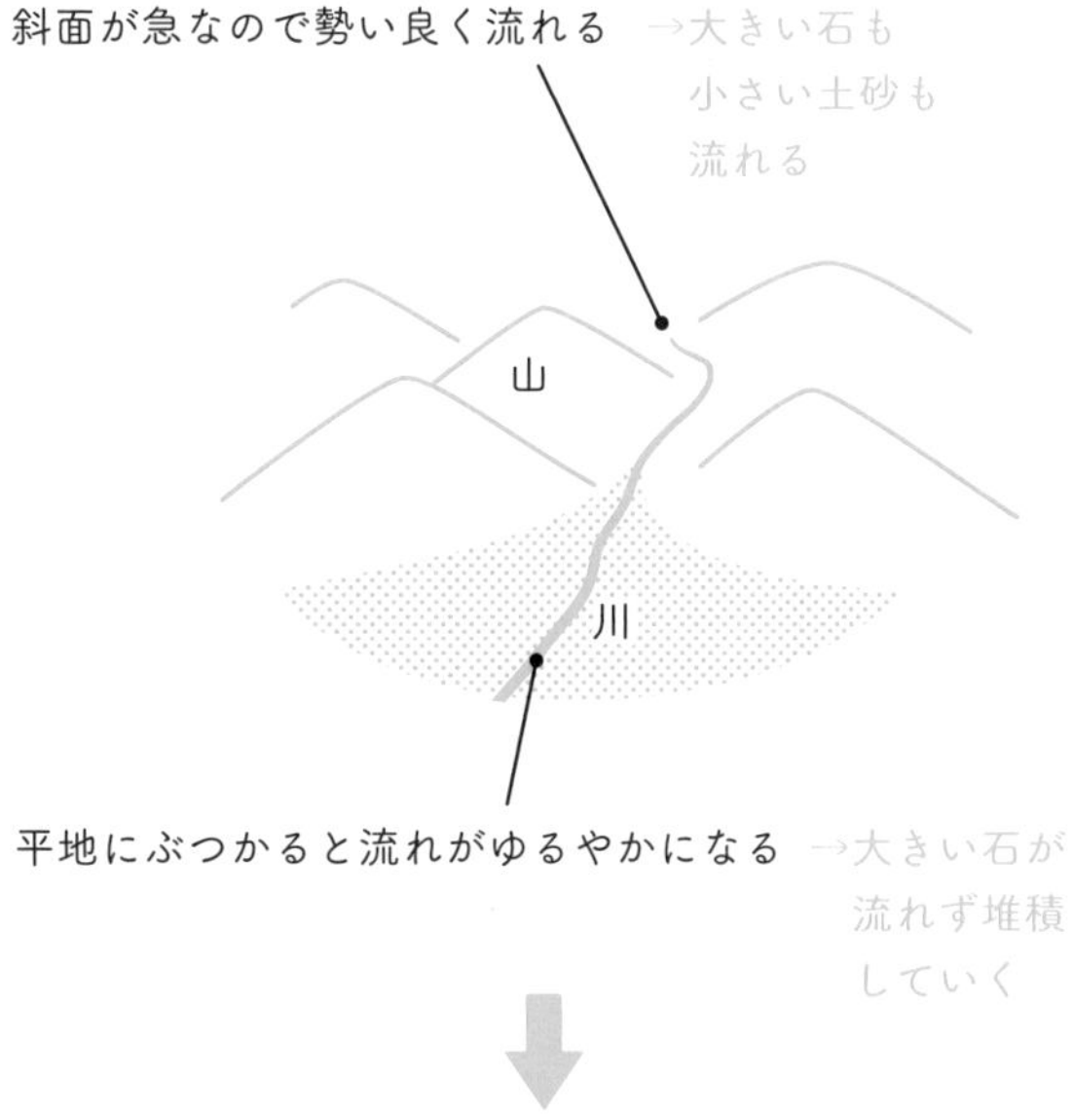
斜面が急なので勢い良く流れる
→大きい石も
小さい土砂も
流れる
山
川
平地にぶつかると流れがゆるやかになる
→大きい石が
流れず堆積
していく

水はけのよい扇状地を形成！

理科では「扇状地は粒の大きい土砂が堆積することで形成される」という知識を習います。ここから、「扇状地は水はけのよい地形である」ことが分かり「水はけのよい地形→ブドウが好む栽培環境→扇状地はブドウの生産量が多い」と紐付けて考えることができます。

盆地には扇状地が見られることがかなり多いことから、まさに理屈通りの結果になっていますね。

このように、理科・社会の両方の教科・科目を使った知識の紐付けのパターンも存在します。

こうやって理屈と一緒に暗記を行うと、「なるほど！」という**納得感・すっきり感が味わえるので、楽しく暗記ができる**と思います。

私が勉強していて一番楽しいなと思う瞬間は、「なるほどなぁ」と腑《ふ》に落ちる瞬間です。

「なぜ世の中の物事はこうなっているんだろう？」と疑問に感じていたことが理解できると、気持ちが晴れ晴れしますよね。暗記のときに理屈と共に覚えるとまさにこのような感覚が味わえるので、**単調な暗記作業が楽しくなります。**

楽しいと結果としてたくさんの情報を覚えられるのです。

そして理屈と共に覚えた事柄は記憶にも深く根付くので忘れにくくなります。

また、理屈で理解しておくと、何か1つの要素を思い出せば芋づる式に関連する知識が引き出せるので、必要なことを容易に思い出せるようになります。

なかなか覚えられないことが出てきたら、その裏に理屈があるのではないかと疑ってみてください。そして理屈があるかもしれないと思ったら、インターネットなどを使って調べてみましょう。

「ブドウ　栽培条件」「扇状地　水はけ　なぜ」などとインターネットで調べると、背景にある理屈がすぐに分かる場合があります。

「覚えにくいな」と思ったら、ぜひこのやり方を使ってみてください。

まとめ

- ○ 覚えたい事柄に理屈があると疑ったら、まずは調べる
- ○ 理屈と紐付くと納得感が味わえるので楽しく暗記ができる
- ○ 理屈と知識を関連付けると覚えやすく、忘れにくい

応用的な暗記の仕方 その2
ゴロ合わせを使おう

丸暗記すべきものは音で覚える

一方で、勉強をする中で理屈では説明できないものもたくさんあります。

たとえば、「用語」「名称」はそのまま丸暗記する必要がありますよね。

しかし、理屈抜きだと覚える「とっかかり」がないので、なかなか覚えづらいのではないでしょうか。また、ど忘れしてしまうと、芋づる式に思い出せるものがないので、その時点でアウトです。

そこで、うまく利用して欲しいのが**ゴロ合わせ**なのです。

たとえば、紫キャベツ液の溶液反応は「**赤ピン村の緑の木**」。

解説すると、赤→赤色、ピン→ピンク色、村→紫色、緑→緑色、木→黄色です。これは、酸性〜中性〜アルカリ性の並びを覚えるために利用していました。

世界史のインド王朝も同じく頭文字で覚えていました。「ど・はとさろ」で奴《ど》隷《れい》王《おう》朝《ちょう》・ハルジー朝・トゥグルク朝・サイイド朝・ロディー朝といった具合です。

このようなゴロ合わせは、学校や塾の先生に教えてもらうものもありましたが、頭文字をつなげただけのものは自分で勝手に作っていました（よかったらみなさんもこれらを使ってみてくださいね）。

うまくいかない場合は、インターネットで「〇〇　ゴロ合わせ」などと検索すると便利なものが見つかることもあります。

よいゴロ合わせが見つかったら、**とにかく口に出して唱えましょう。**そうすると、集中しやすく記憶にも定着しやすいです。

人がいる場所だと恥ずかしいので自宅限定ですが、私も**教科書を閉じて「赤ピン村の緑の木、赤ピン村の緑の木……」とひたすら大声で唱えて**いました。

「唱える」メリットは2つあります。

1つは、**口からも耳からも脳に刺激を与えることができる点**です。

これは89・90ページのアウトプットの方法でも触れましたが、単一の刺激よりも複数の刺激がある方が、記憶に残りやすいというお話をしましたよね。

もう1つのメリットは、**気が散りにくい点**です。

面白いことに、人はしゃべりながら別のことを考えるのが苦手です。しゃべっている間はその内容に意識が集中しやすいのです。

一方、黙っていると、目の前のこと以外に意識を向けてしまいやすいです。教科書の字を目で追っているはずなのに別のことを考えてしまっていた……という経験は誰もが身に覚えがあるのではないでしょうか。

口に出してゴロ合わせを唱える方法、ぜひその効果を体感してみてください。

まとめ

- 理屈がないものは「ゴロ合わせ」をうまく活用して覚える
- 覚えたいことは「唱える」と集中しやすく記憶にも定着しやすい

応用的な暗記の仕方 その3
全体に共通する原則を探そう

原理原則を覚えれば全体の暗記量を減らせる

暗記する事項の**全体に共通するルールや原則**さえ分かっていれば、それぞれの細かい事項を覚えていなくても、それらがどうなっているのか分かるようになります。そして、原則から外れたところだけを覚えればいいので、**暗記量を大きく減らせるようになり**、結果的に暗記のスピードが大きく上がります。

といっても抽象的なので、まずは例を見てみましょう。中学校の理科で習う元素のイオン式を例に考えていきます。

たとえば、カルシウムイオンはCa^{2+}，塩化物イオンはCl^{-}といったようにプラスだったりマイナスだったり、さらに数字も入っていたりして、それぞれ単体で丸暗記しなければいけないとなるとなかなか大変だと思います。

ところがこのイオン式、「水兵リーベ僕の船……」というゴロ合わせと、元素が「元素周期表」のどこに位置するかを覚えるだけで、金属イオン（アルミニウムなど）を除いて、**ほとんど自動的に覚えられるようになります**。

元素周期表というのは、物質を構成する原子について、性質が似たもの同士が並ぶように配置した規則的な表のことです。左ページで見ていきましょう。

縦軸を確認していきます。

縦軸1のH，Li，Na，Kはすべて＋が右上につきますね。縦軸2のBe，Mg，Caの右上にはすべて2+がつきます。

縦軸17の列を見てみましょう。F，Clは右上に－がつきます。その隣の縦軸16はどうでしょうか？　O，Sには2-がつくことが分かりますね。

規則性に気付きましたか？

元素周期表とイオン式の関係性に共通するルール

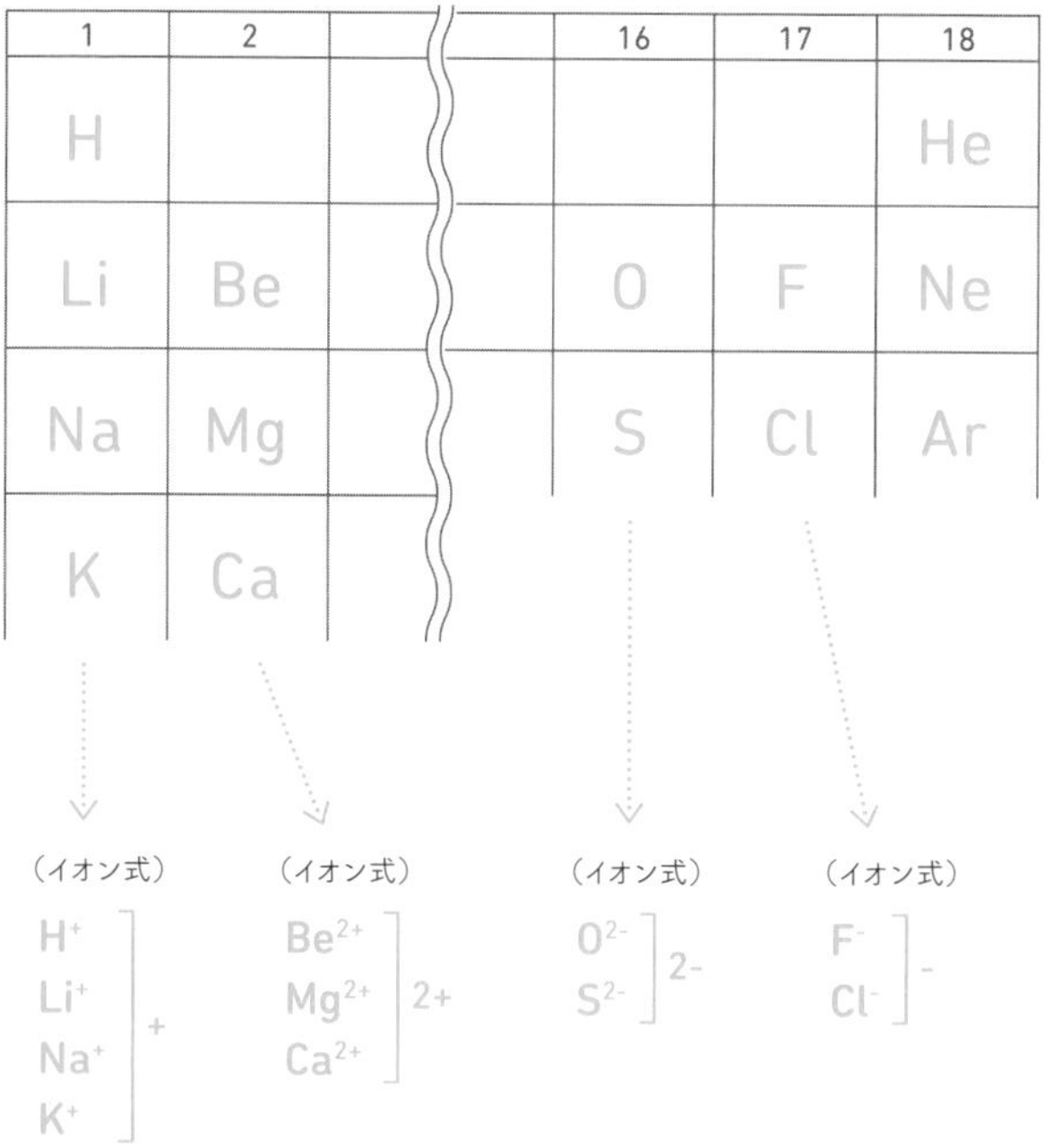

元素周期表のルールを理解すると、
イオン式や化学式が覚えやすくなる！

元素周期表の縦軸に注目してみると、縦軸が同じ列のイオンの価数はほぼ一致することが読み取れます。つまり、「縦軸1の列は+」「縦軸16の列は2−」というルールと元素周期表の並びさえ覚えれば、元素記号それぞれのプラス・マイナスを覚える必要がなくなります。

周期表の並びを理解していれば、左側にあるのはプラスが多く、右側にあるのはマイナスが多いということが直感的に分かります。

そして、縦に同じ列の元素のイオンの価数が一致することが分かります。さらに、右側に1列動くと価数がプラス1され、左側に1列動くとマイナス1されることが多いということも読み取れます。

つまり、全体に共通する規則さえ覚えていれば、逐一元素記号20個のプラス・マイナスとその数を覚えなくても、自然とそれらが分かる状態になります。結果、記憶量をかなり減らせるのです。

前述したように金属イオンという例外的なものもあるのですが、その部分を覚えるだけでよくなります。

このように、それぞれを単体で覚えようとすると膨大な量になることでも、**全体に共通するルール・原則を見つけることで、暗記作業を減らすことができる**のです。

ちなみに、元素周期表は、その並びの規則性や元素の特徴を理解すればするほど、イオン式や化学式を学ぶ上での助けになると思います。

ここでは詳しく触れませんが、興味のある人は学校や塾の先生に詳しく説明してもらうといいでしょう。

まとめ

- ○ 全体に共通するルール・原則を見つける
- ○ 原則から外れる部分だけを覚える
- ○ そうすることで、暗記量を大きく減らすことができる

応用的な暗記の仕方 その4

図表にして覚えよう

情報量が多いものは図示して把握する

私はあまりまとめノートを作らないのですが、例外的に作る場合があります。それは、**複雑でかなり情報量の多いものを理解しないといけないとき**です。**情報を取捨選択してから図式化して整理する**ことで、覚える情報量をかなり圧縮できます。そして、図を使うことで文字数を減らすことができるので、パッと見ただけで直感的に理解しやすくなり覚えやすくなります。

そのような理由からノートを書くときに、私は**①フローチャート・②ツリー図**（樹形図）**・③表**、の3つをよく活用します。これらを活用できると情報の整理にとても役立つので、どんなときに、どんな図を使うとよいのかを話していこうと思います。

①流れを覚えるときはフローチャート

フローチャートは各々の要素を矢印でつないだ図です。時系列や何かの手順・流れを分かりやすく表現したいときに使えます。

世界史の王朝と皇帝の変遷《へんせん》、日本史での文化の移り変わりなど、**時間の流れが絡むもの**を覚えるときに役立てることができます。例を見てみましょう。

「鎌倉時代、貴族中心の社会から武家社会に変容したのに伴い、素朴で力強い鎌倉文化が栄えました。室町時代には、幕府が栄華を極めた足利義満の時代に、優美で華やかな北山文化が全盛期を迎えることになります。

しかしその後、応仁の乱をはじめとする戦乱が長く続いたことで、都が衰退し芸術家や文化人は地方へ逃れるようになります。そこで寺社の文化と融合した、特に禅宗の影響を強く受けた簡素で洗練された文化である東山文化が花開きます」

なんだか長いですし頭に入ってこないですよね。そこで今言った内容を図式化しましょう。下図を見てください。

長々200字かけて書いたことが要点だけかいつまんで表すことで、約50文字に圧縮できます。そしてパッと見て、**大まかな流れ**（時代の流れ）が捉えやすくなっており、各できごとがどの時代のどの部分に属するのか、**細かい時期についても直感的に視覚化できている**と思います。

日本の文化史のフローチャート

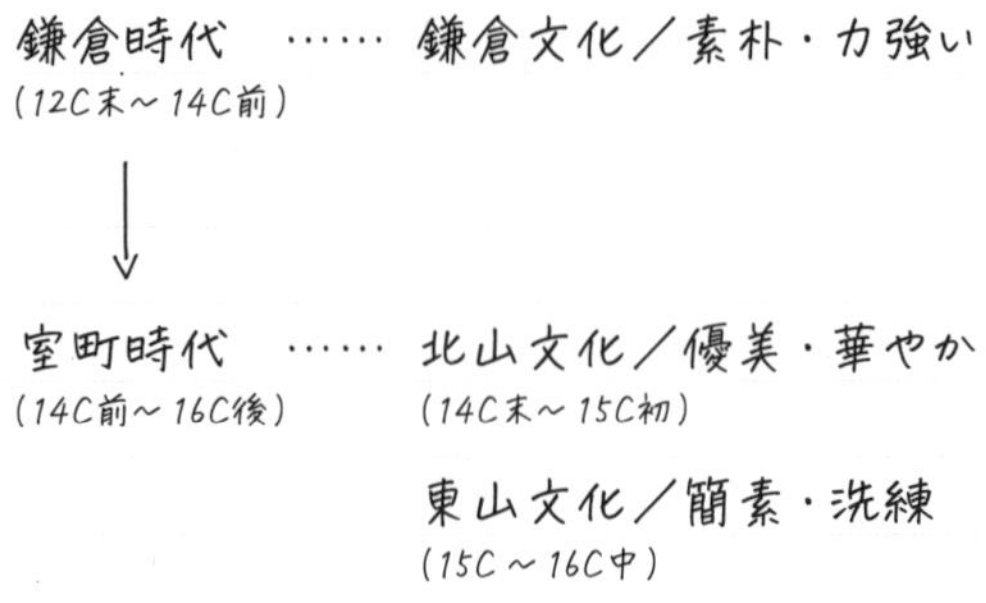

時系列などの流れを覚えたいときはフローチャートを使うことで情報量を圧縮できます。

これが、フローチャートを使うメリットになります。

②グループ化にはツリー図（樹形図）

ツリー図（樹形図）は、その名の通り木のような図です。

特に、物事を大きいグループから小さいグループに分けるときに使う図で、大きい要素と小さい要素をそれぞれ線でつないだ図式になります。

この図は、**たくさんの要素を重複なくグループ化できるとき、特徴ごとに分類するのに使えます**。つまり、ある大きい分類を、特徴ごとにいくつかの小さいグループに分けて整理ができるときに大活躍するのです。

たとえば、植物の分類やケッペンの気候区分の分類などがこれに当てはまります。

ツリー図（樹形図）がどれだけ便利なのか、植物の分類の例で説明しましょう。


「植物には種子で増える種子植物、そして種子で増えない植物があります。種子で増えるものの中に、胚珠が子房で包まれている被子植物、子房で包まれておらず、むき出しになっている裸子植物があります。被子植物の中には、子葉が1枚しかない単子葉類と2枚ある双子葉類があります。さらに、双子葉類の中には、花びらがくっついている合弁花と1枚1枚離れている離弁花があります」

こう言われても、何がなんだか、という感じですよね。

これを図にしてみると非常にすっきりします。下図を見てください。

植物の分類のツリー図

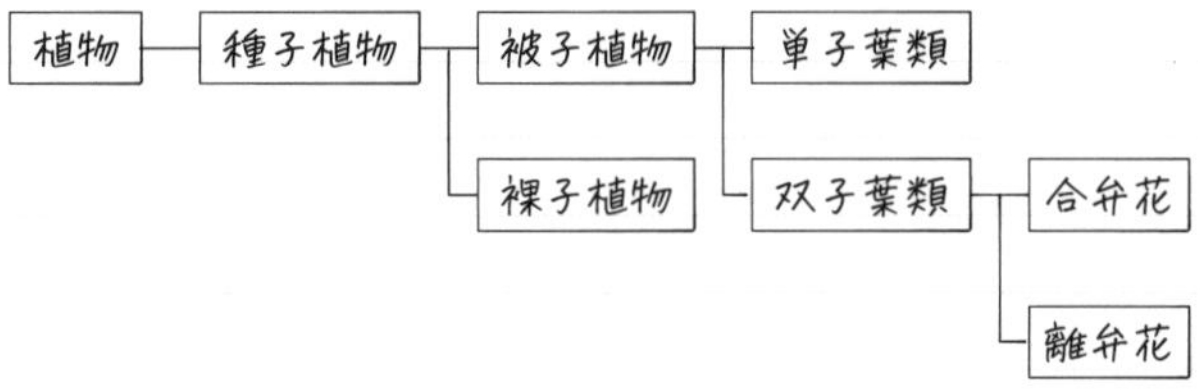

ツリー図（樹形図）を使うと、あるもののグループごとの分類をすっきり行えます。

約180文字を使って説明していた情報が30文字ぐらいで説明できるようになっていますね。

このように、ツリー図(樹形図)を使えば、**グループ同士の関係と位置付けが視覚化できる**ので、理解がしやすくなり覚えやすくなります。

③たくさんのものを比較するときには表

表はみなさんご存じだと思うのでどんな図かの説明は割愛しますが、複数のものをさまざまな視点から比べるときに使うことができますよね。

たとえば、高校1年生で古文の活用形を覚えるときにも活躍します。次ページの表を見てください。

このように比較するものが多い場合であっても、**1つにまとめることができる**のが表の長所です。つまり、たくさんの情報を一気にまとめることができます。

表は、**情報を集約する力がほかの図式と比べてもとにかく強い**ツールなのです。

これをそのまま問題集として使用すると、自分で抽出した重要な点だけを一気に

古文の動詞の活用形の表

下二段	下一段	上二段	上一段	四段	
e	e	i	i	a	未然
e	e	i	i	i	連用
u	eる	u	iる	u	終止
uる	eる	uる	iる	u	連体
uれ	eれ	uれ	iれ	e	已然
eよ	eよ	iよ	iよ	e	命令

表は教科書だけではなく日常生活のさまざまな場面で使われることが多い図です。表を活用すればたくさんの情報を1つにまとめることができるので、暗記も効率的に行える上、テスト直前期などのあまり時間がないときでも一気に復習をすることができます。

確認するテストができ、暗記の効率が上がります。

一発目に暗記するときはもちろん、復習のときにもすごく役立つツールです。たった1つの表に教科書10ページ分ぐらいの情報量が入っているので、テスト直前など時間があまりないときに、一気に復習するのにも便利です。

このように図表を活用すると、**文字のときより暗記しないといけない量を圧縮することができ、**覚えやすい形で物事を記憶することができます。

「情報量が多いな」「3つの図表が使える局面だな」と思ったときには、ぜひ使用してみてください。

まとめ

- ○覚えることの情報量が多いときは図表にしてみる
- ○フローチャートは時系列と流れを表せる
- ○ツリー図（樹形図）は分類に便利
- ○表は複数のものをいくつかの視点で比較する場合に向いている

好きなことと　苦手なこと

勉強の息抜きにはコンビニスイーツと音楽

勉強の合間の息抜きとして楽しんでいることといえば甘いものを食べること。コンビニスイーツを買って、家でよく食べています。

お気に入りは大福の中に苺のジャムが入っているもの。少し和菓子っぽい、さっぱりした感じのものが好みです。

カフェで勉強をすることもありますが、お気に入りのカフェで過ごす時間自体が息抜きにもなります。行くお店はドトールやスターバックスなどのチェーン店がほとんどです。コーヒーの味の飲み比べをするのもちょっとした楽しみです。

勉強をしていて疲れてきたらYouTubeやSpotifyを利用して音楽を聴くこともよくあります。最近のお気に入りはRADWIMPSやKing Gnu、Official髭男dism、あとは

ドイツ語のラップなど。聴きながら一緒に歌うこともあります。

日常生活では「故障したロボット」

テレビでは比較的よいところが取り上げられることが多く、「しっかりしている」というイメージがあるかもしれませんが、日常生活では正反対の人間です。

家族から心配されるほどのびっくりエピソードがたくさんあります。

最近では、美容室からの帰りに、荷物を預けておくカゴごと自分のバッグを持ち帰りそうになって、お店の人にあきれられてしまいました。

特に急いでいたわけでもないので、おそらく注意散漫なのだと思います。限られた範囲にしか意識が向かないので、周囲の人にも「守備範囲は机の上だけ」と宣言するようにしています……。

家族からは「挙動がおかしく故障したロボットのよう」と言われ、「ゆっくり丁寧に動作をすればいいんじゃないの？」とアドバイスされました。

なので、丁寧に生きようと頑張っているところです。

第3章

整える

勉強を続けられる環境をつくろう

勉強の密度を上げるポイント

その1 質を上げよう

勉強量＝「時間」×「質」を意識する

ここまでは、勉強の内容として何をしたらいいか、そして勉強の方法としてどんな方法がいいかを述べてきました。

第3章では、**継続的に勉強し続けるための意識のもち方、環境のつくり方**について触れていこうと思っています。

前提として、**勉強量は勉強の「時間」と「質」に比例**します。

まず勉強の時間というのは、**何時間勉強したかという時間**を指します。

たとえば、1時間勉強したときと2時間勉強したときを比較すると、後者の方が問題を解いたり何かを覚えたりする量が増えますよね。

対して勉強の質というのは、**1時間あたりどれぐらいの量のインプット・アウトプットができたか**を指します。なので、集中すればするほど勉強の質は上がります。

ですので、勉強量を確保するためには、「勉強量＝時間×質」であることを意識することが大事になります。

初めてきちんと勉強をする方や勉強につまずいている方にとって、**続けやすい勉強量の確保の仕方は、質を高くして時間を短めにする方法**だと思います。

時間を長くするとどうしても身体が疲れてきてしまいますよね。慣れていない方にとって長時間の勉強は大きな負担になるでしょう。そのため、短時間で質を高めに勉強する方が最初はやりやすいと思うからです。

ですので、まずは質を高めることを意識して勉強を始めてみましょう。

実は、**勉強の質を上げる方が勉強時間をのばすことより簡単で一定の水準に達しやすい**ので、意識すれば案外すぐに効果が出ます。

しかしながら、「どうすれば勉強の『質』を上げられるのか分からない」という方も多いのではないでしょうか？

そこで、ここからは私が日々取り入れている**勉強の質を上げるための5つの工夫**を紹介していきます。

①タイマーを使って勉強時間を区切る

勉強するとき、**「これくらいなら自分が集中し続けられるだろう」と思う時間にタイマーを設定して机に向かう**ようにしましょう。私の場合はだいたい60分にすることが多いですが、もっと頑張れる方は75分など長くしてみてください。

逆に「60分でもつらい」という方は45分、30分などと短くしてみてください。

そして、タイマーが鳴ったら15分くらい休憩し、また同じ方法で再開します。

ここでポイントになるのは、**タイマーがかかっている間は、スマホや漫画を見ずに勉強だけを必ず行う**ことです。

そうすることで、机に座っているのに勉強が進まないという、勉強の質が低い状態を回避することができます。

タイマーをかけると、「30分も勉強しているのに、ちょっとしか単語帳を進められていない！」という風に、**どれぐらいの時間で、どれぐらい進めることができたかを意識できる**ようになります。

そうすると**自分にプレッシャーをかけられる**ので、時間あたりのインプット・アウトプット量を増やしやすいこともメリットです。

休憩時間もタイマーであらかじめ決めておきましょう。こまめな休憩をはさむことでリフレッシュができるとともに、だらだらと休むことを防止できます。ストレッチやメールなど、勉強以外のことをやることで、**すっきりとした気持ちでまた勉強に戻ることができ、勉強の質が上がりやすくなります。**

②夜にしっかり寝る

私は、いつもだいたい0時・1時頃から7～8時間は睡眠時間を取るよう心がけています。**きちんと寝て、朝の授業で集中できるようにするため**です。

試験直前期などでどうしても勉強する必要があり、かつ気分がのっているときは深夜3時まで勉強していることもたまにあります。しかし、基本的にそういったムリな習慣を長く続けると、身体を壊してしまいます。

また、睡眠不足により頭の切れが悪くなったり、授業中寝てしまったりしますよね。そうすると、本来有効に使うことができた時間を棒に振ることになってしまいますので、基本的には夜にしっかり寝るようにしましょう。

ちなみに定期テストも入学試験も、基本は朝の9時頃から始まるものが多いので、**朝頭を働かせることに慣れておく**という観点でもよい工夫だと思います。

③どうしても眠いときは時間を決めて昼寝をする

寝てしまうことは悪いように言われがちですが、個人的にはそんなことは全くないと思います。うとうとしながら勉強するより、**30分か1時間ほど昼寝をはさんだ方が集中できるので、かえって勉強の進み具合が良くなる**でしょう。

もちろん、寝すぎは良くないと思います。夜眠れなくなって翌日に疲れが出て効率が下がるという事態になりかねないからです。

ですが、眠くなってしまうのは自分の意思では管理しようがないですよね。寝すぎを防止しつつ効率的にリフレッシュするために、どうしても眠いときは目覚まし時計などをセットしてから昼寝をしましょう。

④自分を誘惑するものから物理的な距離を置く

スマホ・パソコン・ゲーム……。勉強しなければならないときに、どうしてもやってしまうことはたくさんあるかと思います。

対策として、家で勉強するときに、スマホなどは**勉強場所から遠いところに電源を切った状態で置いておきましょう。**

また、自習室や図書館など家以外の場所で勉強するときには、**勉強道具以外の誘惑になりそうなものを持っていかない**ようにするのがオススメです。

そのようにすることで、使おうと思ったときに「ものを取りに行く」「電源を入れる」というひと手間がかかります。

「遊びたい」と思ったときでも、すぐスマホなどを触ってしまうことを防止でき、

「これで遊んでもよかったのだっけ」と思い留まることができます。

また、電源を切っていればSNSの通知なども鳴らなくなるので、気が散りにくいというメリットもあります。

⑤人目のある場所で勉強する

私は大学受験のときは、家ではほとんど勉強せず、図書館やカフェ、塾の自習室など、とにかく人目のある場所で勉強することにしていました。人目があると「監視」されているようで、いい意味で気が引き締まり勉強がはかどりました。

そうはいっても、今のご時世だとなかなか外に出られなかったりしますし、カフェに通うお金がもったいないと感じる方もいらっしゃると思います。

そういう方にオススメなのが、**誰かに家で「監視」してもらう方法**です。

私の場合、日曜日は自習室が閉まっていて自宅で勉強せざるを得なかったので、休日で家にいる父に頼んで同じ部屋にいてもらっていました。

家族であっても他者ではあるので、自分のやっていることをいつでも見られる状況をつくると、「きちんとしなければ」という気持ちが生まれます。

このように、勉強の質を上げるための5つの工夫を紹介しました。集中するのが苦手だと感じる方であっても、**環境の整え方や時間の使い方を工夫することで勉強に集中できる**と思います。

自分自身を変化させるのではなく、**周りの環境を少し変えてみましょう。**そうすると、**勉強の質は簡単に上げることができる**ので、これらの方法で気に入ったものがあれば、ぜひ取り入れて欲しいと思います。

まとめ

- ○「勉強量＝時間×質」という前提を意識する
- ○まずは勉強の「質」を上げる方法から始める
- ○5つの工夫を取り入れて、勉強する環境を整える

勉強の密度を上げるポイント

その2 時間をのばそう

勉強時間はコツコツのばすのが前提

勉強の質が十分に上げられたら、次に勉強の時間をのばしてみましょう。

ここからは、**勉強時間をのばすための工夫**を紹介していきますが、こちらに関しては、日頃の努力・体力づくりによるところが大きいので、テクニックを使ってすぐにのばすのは難しいというのが率直な感想です。

つまり、柔軟運動と一緒で、**毎日コツコツと頑張ることで状況が少しずつ良くなる性質のもの**だということを前提として理解してもらえると嬉しいです。

といっても、すぐに取り入れることができるテクニックもいくつかあるので、それらをお話ししていこうと思います。

①1日の勉強の総時間を記録する

私は、99時間まで計ることができるストップウォッチを100円ショップで購入して愛用しており、テスト前にはいつもそれを使って、1日で勉強した合計の時間を記録していました。

時間を記録すると、**今の自分がどれぐらい勉強できて、どれぐらいなら時間を増やせそうかがパッと見て明らかになります。**そのため、少しずつ目標を引き上げることができ、ゆるやかに勉強時間をのばすのに役立ちます。

②休憩をはさむ

勉強する中で、私が日々悩まされるのが目の疲労、肩こりと血行不良です。

運動したり、遠くを眺めたりする**休憩時間をある程度設けた方が疲れが溜まりに**

くく長く勉強できると感じているので、休憩を2〜3時間に1回はさんで、ストレッチなどをするようにしています。

これは「質」を上げる工夫の中にも出てきましたね。

③勉強場所を変えてみる

同じ場所で勉強することに飽きてしまったときは、図書館やカフェなどほかの場所に移動するようにしていました。

私は大学受験のとき、いつも行くカフェの候補を4つくらい持っていて、そのときの気分や都合によって使い分けました。1つのお店で飲み物のお代わりも含め、だいたい2時間くらい滞在していることが多かったです。

自宅以外の場所に行くことが金銭的に難しい、時間のロスが気になると感じる方は、**自宅の中で場所を変える方法**を取り入れてはいかがでしょうか。

たとえば、自分の部屋とリビングを行き来するという方法を取るのでもいいでしょう。**移動する度に気持ちがリセットされるので、より長く勉強できる**と思います。

④ほかの時間を節約する

これは試験直前などの、本当に切羽詰《せっぱつ》まった状況のときだけやってみてください。勉強以外にかける時間を減らすため、私は受験直前期に携帯電話の解約を家族に頼んだり、使用していたiPodをリサイクルに出してもらったりして、**つい遊んでしまう時間を極力減らす**ようにしていました。

ただ、最初からこのような極端なやり方をしてしまうと、気付かないうちに自分を追い詰めすぎてしまいます。また少なからず負担にはなるので、**ピンチのときの最終手段**として覚えておくくらいでいいと思います。

以上で勉強の質を上げるテクニック、勉強の時間をのばすテクニックの紹介は終わりです。ここで紹介したものは**すぐに使えるものが多い**のですが、1つ注意点があります。

それは、**個人によって合う、合わないの相性がかなりある**ということです。

たとえば、私のように人目があった方が集中できるタイプがいる一方で、静かな自分1人の空間の方が気持ちよく勉強できるという方もいらっしゃると思います。ですので、これらはあくまで参考程度に試して、自分に合う方法を探していきましょう。

まとめ

○質を上げたら時間をのばしていく
○環境を変えると、勉強時間はある程度のばすことができる
○勉強の密度を上げる方法は、個人の合う、合わないがはっきり出るので自分に合う方法を探す

1人の時間を有意義に使おう

後で楽をするために授業を能動的に受ける

ここからは、日常生活のさまざまな状況で効率的に勉強を行うための方法を紹介していきます。

まずは、学生生活のすごく長い時間を占める、学校の授業時間の有意義な過ごし方について。

私がしていた工夫の1つは、**授業中に教科書や資料集の重要だと思った部分に緑のマーカーを引いたり、問題部分やプリントの空欄部分に赤やオレンジのペンで答えを書き込んだりする**ことです（前にも紹介しましたがものすごくオススメなのであえてまた紹介します）。

こうしておけば、後で赤いシートをかぶせればその部分が見えなくなり、問題集として使うことができます。

また、この工夫をすると、**能動的な姿勢で授業を受けられる**ようになります。覚えなければならない重要な部分のみマーカーを引くので、どの点が重要で、どの点が重要でないのか、常に判別しながら先生の話を聞くことになります。

すると、今までは一方的に受け身になって聞いていた授業が、能動的に受けられるものに変わるので、集中力が高まり勉強の質が上がるのです。

さらに、これを普段からやっておけば、復習用の素材を作るために授業後に改めて勉強する必要がなくなるので、時間の有効活用ができます。

つまり、**勉強の時間を余分に増やすことなく、後からまとめて効率良く振り返りができる状況を作ることが簡単にできる**のです。

普段の授業だと眠くなってしまう、物足りないという方に取り入れて欲しいです。

宿題や小テストにも全力で取り組む

もう1つの工夫は、**学校で出される宿題や小テストなどもきちんとこなす**ようにすることです。集中して授業を受け、出される課題にきちんと取り組んでいれば、定期テストや問題集を解くときの勉強がものすごく楽になります。

課題をきちんとこなしていれば、だいたいの問題を解くための手順は身につけることができます。すなわち、教わった内容の理屈のところなど、理解しないといけない部分の**一番根本的な骨格のところが一度頭に入った状態になる**のです。

そのため、テストの直前期には単純に覚えるべき細かい知識を詰め込むだけでよくなります。

受験勉強に力を入れている方の中には、塾と自習を重視していて学校の授業は真面目に聞かないという方もいらっしゃるのではないでしょうか。

もちろん、勉強のやり方はその人次第ですが、個人的には少しもったいないと思います。

塾と学校とを比べたときに、後者の方がカリキュラムに時間的な猶予《ゆうよ》があるように感じます。なので、物事の裏にある背景を説明する時間や少し面白いエピソードを話す時間もあり、塾の勉強だけでは得られない豊かさがあります。

つまり、**学校の授業には受験に縛られない真の学びの部分があるの**です。

また、与えられた問題に対し、疑問に思ったことや知りたいと思ったことを、自分の好奇心のままに探求できたりします。

私の通っていた筑波大附属高校では受験のための授業をしませんでした。

当時は、塾のクラスメイト達が受験の勉強を高校の授業で済ませているのを見て、「私の学校もそうだったらもう少し楽だったのに」と思ったこともありました。

しかし、大学に入ってみると、高校で鍛えてもらった論文を書く力や自分で課題を見つける習慣が、私の学びの土台を作ってくれたことに気付きました。

受験の面から考えても、基礎を固めるという意味で、学校の勉強を復習として使うとよいと思います。

いろいろな話をしましたが、**学生生活のかなりの割合を占める学校での勉強時間をぜひフル活用して、成績アップや真の学びにつなげて欲しい**と思います。

細かい時間を有効に使う

机の前で問題を長時間解き続けることだけが勉強というわけではありません。日常生活でのちょっとした時間に勉強をすることもできるのです。

ここでは、通勤・通学や寝る前のちょっとしたスキマ時間にできる工夫を紹介していきます。

私は中学・高校はずっと電車通学だったので、通学中でもたまに勉強することがありました。

電車に乗っている間は文字を書くことは基本的にはできないし、声を出すと迷惑になります。なので、自然と取り組むことができるものが限られます。

私は、小さめのテキストで一問一答系の問題を解いたり、赤シートを教科書・プリントなどにかぶせて暗記物をしたりすることが多かったです。

小さめのテキストや単語帳を持ち歩いておくと、**「やろうかな」と思ったときに気軽に勉強できる**ので、ぜひやってみてください。

布団の中で暗記物をする

眠れないなと感じるときには、よく布団に入りながら単語帳を読んでいます。ものを覚えてから寝ると翌日に定着するので、寝る前は暗記をするのに一番適した時間帯だと感じているからです。

ちょっと落ち着いた照明の中で暗記物をすると、自然に眠くなってくるし、**なかなか寝付けない時間を有効活用して勉強時間をのばす**ことができます。

まとめ

- 学校の授業は能動的に受けて、後の振り返りを楽にする
- 課題や宿題も手を抜かずにこなすことで基礎力アップ
- スキマ時間でも勉強できるように小さめのテキストを持ち歩く
- 寝る前に暗記物を行うと定着が良くなる上に眠れるので一石二鳥

友達と勉強をするときのポイントと注意点を知ろう

ほかの人との勉強を有意義にする方法

みなさんは友達に「一緒に勉強をしない？」と誘われたり、「勉強を教えて」と頼まれたりすることがあるのではないでしょうか。

私は受験では身近な友人をライバル視するより、仲間として一緒に乗り切っていく方がいいと考えています。**受験生は全国に50万人以上もいて、身近な人をライバル視してもなんの意味もないから**です。

友達と一緒に協力しながら勉強すれば楽しいし、勉強に行き詰まって逃げ出したくなっても止めてくれたりします。また、クラスメイトに質問されて教えることがありますが、これが本当に身になるのです。

このように得られることの方が多いので、友達と一緒にする勉強と1人でする勉強を分けて、バランス良く取り入れると気分転換になってよいと思います。

イメージが湧かないと思うので、具体的な例を紹介していきましょう。

人に勉強を教える

人に教えると、思考や知識が整理されて効果的に勉強することができます。

私は友達から「勉強を教えて」と言われることが多く、自然とそのような機会を得ていたのですが、自分の勉強にもそれがとても役立っていたと思います。

理論的に正しくないと人は納得できません。

なので、「なんでこうなるの?」と友達に聞かれたときに、「こういう筋道で解いているからこうなるよ」「○○と××が分かっているから、この公式を使うよ」と、自分の中で論理と筋道を立てながら説明をすることになります。

答えに詰まってしまったとしたら、それは自分の中で論理を立てることができない、すなわち本当の意味で理解していない部分になります。

私の場合、そういう点が見つかったときには、改めて調べたり考え直したりして、理解に穴があった部分を埋めるようにしていました。

このように、人に勉強を教えることで、その内容を再確認したり整理したり、分かっていない部分の補強をするきっかけができます。

人にも喜ばれて自分のためにもなる、**いいことづくしの勉強方法**なので、もし質問されたら積極的に教えてあげてください。

勉強会をする

皆で集まって同じテーマでそれぞれ勉強をする、勉強会を開く方法があります。

たとえば、同じ学校の過去問を解いてみて答案を交換してみたり、英作文を同じテーマで書いてみて相互に添削したりするのです。

このような勉強会を行うメリットの1つは、**同じ目標を目指している人の学習のレベルが分かる**ことだと思います。

これが分かると、同じような大学や資格を目指している受験生と比べられます。自分ができているところ、できていないところを把握でき、勉強をする上での目安にもなります。

もう1つのメリットは、**情報交換ができる点**にあるでしょう。

論述問題などでお互いの答案を交換し、良くない部分を指摘し合ったり解答のバリエーションを教え合ったりすることができるので、**自分1人でカバーしきれない部分を埋めることができ効率的**です。

ただ、1つ注意点があります。それは、**基礎を完全にした上でさらに高いレベルに取り組んでいる段階でやった方がいい**ということです。

なぜかというと、基礎を習得する段階は1人で集中した方が知識を身につけやすいからです。

基本的なことさえ分かっていないのに、他人の答案の良し悪しを指摘することはできないですし、みんなの意見交換や議論についていくこともできませんよね。

そうなると、人と一緒に勉強することによって得られるメリットを十分に得られなくなります。なので、基礎は1人で習得してから勉強会を開くようにしましょう。

集まって「自習会」を開く

勉強会とは異なり、「自習会」と私が勝手に呼んでいる勉強法があります。

それは、**みんなで同じ場所（自習室）などに集まって1人ずつ自習を行うという方法**です。勉強会とは、みんながそれぞれ違うことをするという点に違いがあります。

この方法のよいところは、友達と同じ場所で勉強するので、お互い励まし合いながら勉強ができるという点にあります。

たとえば私は、「司法試験予備試験」の対策として、2〜3人の友達と冬休みに同じ自習室に通って勉強していました。

朝から晩まで10時間以上勉強する日々が続いたのですが、一緒に友達がいたので「つらいのは自分だけではない」と思えて、頑張ることができました。

話したり遊んだりするわけでは全くないのですが、同じ空間でひたすら勉強するだけでも、なんとなく気持ちが晴れたりしてつらさが解消されるように感じます。

ただ、この方法を取る上で注意点が2つあります。

1つ目は、**勉強したいと本気で思っている人としかこの方法を取らないこと。**友達と一緒だと、おしゃべりなどをして勉強をしないというリスクがつきものです。お互いに、意志を強くもっている人でなければ、この方法は成立しません。

2つ目は、**自習室など私語が許されていない、勉強するための場所でやる**ことです。そうしないとやはり遊んでしまうリスクが高くなるので、勉強が結局進まないという事態に直結すると思います。

これらの注意事項を踏まえた上で、「自習会」を開いてみると気分転換になるかと思います。


このように、ここではいろんなシチュエーション、いろいろなやり方の勉強を紹介しました。普段の勉強の中にこれらの方法を気分転換に取り入れてみると勉強が続けやすいのではないかと思うので、ぜひ試してみてください。

こうして実際にある程度の期間勉強を続けられたら、今度は勉強の結果を評価することが必要です。第4章からはそのお話をしていきます。

まとめ

- 人に勉強を教えると復習や再確認になって効率的
- 「勉強会」や「自習会」で友達と勉強するという方法もある
- ほかの人と勉強するときには、強い意志がある人とだけ行うことと勉強に集中できる環境で行うことがポイント
- これらをうまく取り入れれば気分転換になり勉強を続けやすい

質問にお答えします

学生さん向けQ&A

Q「勉強する気が起きず、ついサボってしまいます」

私にもそのようなときはあります。このような場合はあえて勉強の密度を下げてしまうと取り組むハードルも下がるかもしれません。

好きな音楽でもかけてゆるい感じで勉強を始め、気分がのってきたら音楽を止めてみてはいかがでしょうか？

本気で走る前にジョギングをするイメージです。

危機感がなかなかもてないという場合には、受験だと目標が先すぎることもあるので、模試・定期テスト・小テストなど、ある程度目先にあるちょっとした目標を定めてみると「勉強する理由」ができます。

Q「目標と今の自分とに距離がありすぎて自己嫌悪に陥ってしまいます」

テストで思うような点が取れなかったり、模試の結果がふるわなかったりすると気持ちが落ち込みますよね。私も現代文の成績が伸びず悲しくなったことがあります。

でも悲しんでいても何も変わらないと思い、「なぜこうなってしまったのか?」を冷静に考えるようにしていました。

基礎的な知識が身についていなかったのか、それとも演習が足りなかったのか。冷静に見極めて、また勉強に活かすというやり方をしていました。

結局、現代文については最後まで得意と言えるまでにはならなかったので、その分ほかの科目でどうリカバリーするかを考えるようにしていました。

埋め合わせする方法はたくさんあるので、がっかりする必要はないと思います。たとえ目標とする位置が今の自分から離れていても、本番までに縮めればいいだけです。

「明日が本番です」と言われたらさすがに大変だとは思いますが、何カ月、あるいは何年かあるのなら、ゆっくり自分のペースに合わせてアプローチしていけばよいのではないでしょうか？

その過程でこの目標は自分には合わなかったと思う場合は、変えればいいのです。中には、自分には合わない部分もあるけれども、目標は変えたくないと思うこともありますよね。そのときは「伸びしろしかない！」と見方を変えて、本番までひたすら対策をし続けましょう。

第4章

正す

結果を振り返って
やり方を修正してみよう

ステップ1

「小目標」は記録して達成度合いを振り返ろう

人と比べて評価せず自分の目標を基準にする

勉強の結果を評価するときに、人と比べてどうだったかを基準に判断する人がいます。

どういうことかというと、「太郎君は満点を取ったのに自分は40点しか取れていない」と悲しんだり、逆に「太郎君が40点取ったテストで自分は80点取れたぞ」と喜んだりする感じです。

普段の生活でも、商品を選ぶときなどは価格を比較して購入するので、比べること自体が悪いわけではありません。

仮想のライバルを設定しないと勉強のモチベーションが上がらない人もいるでしょうから、それは一人ひとりの考え方の違いだと思います。

ただ、人と比べることで、「自分はダメだ」とか「勉強ができない」とモチベーションを失ってしまう方もいらっしゃるのではないでしょうか？　そもそも人と競うことが嫌いな方もいらっしゃるかもしれません。

そういう方に一番伝えたいことは、結果が人と比べてどうだったのかは全く重要ではないということです。**本当に大事なことは「今の自分がこうなりたいという姿に近づいているか」という1点だけ**です。

人は人、自分は自分です。人と比べてどうだったのかということよりも、**目標と比べて今の自分がどうなのか、自分を基準に評価**しましょう。

目標をどれぐらい達成したか記録する

序章で、「小目標」と「中目標」を立てて、それが達成できるように計画を実行しようという話をしました。ここで**立てていた目標と比べて現在の自分がどうなのか**

を評価すると、勉強を何のためにするかという目的を達成しやすいです。

「小目標」や「中目標」で定めた目標日が来たら、実際どれぐらい達成できているか進捗状況を評価してみましょう。これこそが、勉強の内容ややり方をより良くするための目安になります。

序章で、**「小目標」は勉強のペースを保つための基準になるので、余裕をもって具体的に定める**という話をしました。

ここでは「1日あたり古文の単語帳を8ページ進めて、現代語にすぐ訳せるようにする」という目標を定めていたとしましょう。

これに対する進み具合を評価するために、どれぐらい達成できたかカレンダーや手帳などに毎日記録していくのです。たとえば、

- 「古文単語　◯　10／8ページ」（↑目標達成できた10ページの例）
- 「古文単語　×　6／8ページ」（↑目標達成できなかった6ページの例）

このように簡単に書いておけば大丈夫です。

目標が達成できなかったら10日以内に立て直す

「小目標」は時間的に余裕をもって設定しているので、現実的に実行できる程度の目標になっているはずです。なので、これは最低限絶対にこなさないといけないベースラインと言えるでしょう。

したがって、**継続的に目標を達成し続けることが基本**になります。「〇」を毎日積み重ねられるように頑張って続けていきましょう。

しかし、体調が悪かったり、どうしても忙しかったりして勉強ができない日もあると思います。そうすると、目標を達成できず「×」がつくこともあるかもしれません。そういった日はどうすればいいのでしょうか？

有効な対策方法としては、**目標が達成できなかった日から数えて10日以内に遅れを取り戻せるよう計画を設定し直すこと**です。

なぜ10日以内かというと、経験からしてそのくらいであれば遅れを取り戻せる場合が多いからです。

先ほどの「古文の単語帳を1日8ページ進める」という目標を立てていた人が、12月1日に風邪を引いてしまった場合を考えましょう。

1日〜3日は体調が悪く、その3日間は毎日1ページしか勉強できなかったとします。そうすると、21ページ分が遅れてしまいますよね（本来進めるべき8ページ−実際進められた1ページ＝残った7ページ×3日間）。

この場合、**残りの7日間で遅れた分の埋め合わせ**をすればいいでしょう。

埋め合わせをするには、21ページ÷7日間＝3ページをプラスで進めていけば良さそうです。ですので、その後の7日間で平均して11ページ分、すなわち目標の約1・4倍毎日頑張れば10日以内に遅れを取り戻せることになります。

こうすることで、「小目標」がペースメーカーとしてちゃんと機能するようになり、予定通り勉強を進めることができるでしょう。

ペースを戻せなかったら理由を分析する

10日以内に遅れを取り戻せない場合、**現在の勉強法に改善の余地がある可能性が高い**です。すぐさま現状分析に移り、なぜ勉強がうまくいっていないのか、改善点を特定する作業に移りましょう。

現状分析からの流れについては、もう少し先で詳しく述べていきます。

まとめ

- 「小目標」はペースメーカー。達成できたか記録する
- 「小目標」は達成し続けるのが前提
- 目標を達成できなかった場合、10日以内に遅れを取り戻せばいい
- 遅れを取り戻せない場合は現状分析に移る

ステップ2

次の戦略の指標にしよう「中目標」は

達成度を可視化する

「中目標」も「小目標」と全く同じように記録しましょう。

たとえば、「2週間後の定期テスト、源氏物語の『桐壺・光源氏の誕生』の部分のテストで、9割の点数を取る」という「中目標」があるとします。

この場合の記録のつけ方としては、

- このテストで91点を取った場合：「古文テスト　○　91点／90点」
- 目標に及ばず73点を取った場合：「古文テスト　×　73点／90点」

と記録するイメージです。

「中目標」を達成できた場合、**目標を達成した自分をほめてあげてそのままの調子で次の目標に向かって**頑張りましょう。

目標が達成できなかった場合には、「小目標」を達成できなかった場合と全く同じで、**現在の勉強法に改善の余地がある可能性が高い**です。すぐさま現状分析に移り、なぜ勉強がうまくいっていないのか、改善点を特定する作業に移りましょう。

次に、**現状分析のやり方、改善点を見つける方法**について話していきます。

まとめ

- 「中目標」を達成できたか記録する
- 目標を達成できなかった場合、現状分析に移る

ステップ3

現状分析をして改善点を明らかにしよう

1日の過ごし方をざっくり記録する

目標が達成できなかった場合、なぜ結果との差が生まれたのかを分析するために**現状を把握して改善点を明らかにしましょう。**

客観的に自分の現状を見つめて、まずは「何をどの程度の時間をかけてやった結果、どうなったのか」を明確にしていきます。

そのためにオススメなのが**1日の過ごし方をざっくり記録する**ことです。

ノートでもメモ帳でも何でもいいので、あらかじめ「7時、8時、9時……」と横に時間軸を書きます。

あとは自分が実際にその時間に何をしたかを書き込んでいくだけ。

7時〜9時の間に問題を5問解いたなら「○○問題集5問」と書き込みます。12時からお昼ご飯を食べたならそれも記録します。

コツは、今やっている行動を変えようと思った都度、何をやったか記録することです。後から見て、自分が何をやっていたか分かる程度にざっくりと書き込みましょう。

たとえば、2019年4月6日の私の過ごし方は、下図のようだったみたいです。

時間軸と行動を書き込んだノート

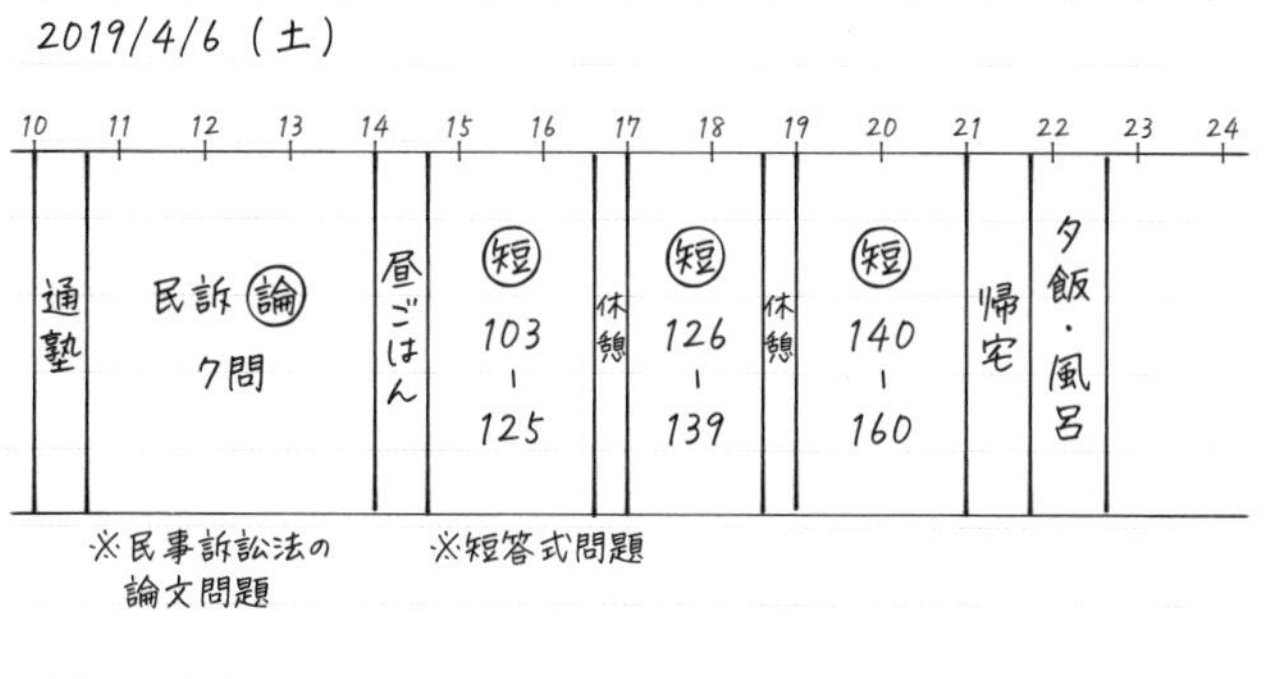

1日の過ごし方をざっくりと記録しましょう。行動を変える度にメモするのがコツです。

これをすると、目標を達成できなかった理由が浮き彫りになります。

そうすると、「何をやっていたか思い出せない」ということがなくなります。

「1日机に向かっていたけれど、実際にはパソコンで5時間もゲームをしていた」とか「1時間も勉強していたのに問題が3問しか進んでいなかった」など、どういう点を改善したらいいのかが明らかになります。

テストの結果を見直して分析を行う

「テストで何点を取る」というタイプの目標を掲げたとき、1日の過ごし方をざっくり記録することに加えて、**テスト結果の見直しをすること**をオススメします。

テストには、その時点で何ができて、何ができなかったかが表れるので現状分析のよい材料となるからです。

その結果を分析することで、問題が解けなかった原因が明らかになり、次の目標を達成するための改善が行いやすいのです。

でも「どこに注目して見直せばいいのか分からない」という方もいらっしゃるで

しょう。そこで、どうやって分析を進めればいいのか、その方法も紹介します。

まず、**どの設問を間違えたのか確認**をします。

次に、**なぜその設問を間違えたのか**考えます。ここではまた68ページの図を振り返って、**この4つのプロセスのどこでつまずいたのか**明らかにしましょう。

たとえば、「そもそも問題のパターンを判断できていなかったんだな」とか「解答を書くときに漢字を間違えてしまっていたんだな」という風に判断をしてみてください。

最後に、各段階のインプット・アウトプット、どちらが失敗の原因になったのか明らかにしましょう。

たとえば、問題パターンの蓄積を十分に行っていなくて、どのパターンか分からなかった場合は、インプットが不足したことが原因です。

逆にパターン自体は知っていたのだけれど、どれに当てはまるのかという判断に失敗した場合は、問題パターンの判別というアウトプットの練習が足りなかった、ということになります。

これでテストの現状分析は終わりになります。ここまでやると、**次の目標の達成のためにどういう点を改善したらいいのか**が明らかになります。

改善点を見つけてやり方を修正する

ここまでで、どこを改善しないといけないのかは見えてきていると思います。あとは、足りないところを実際に改善する方法を調べて実践してみるだけです。

基本的に、改善点は**①勉強のやり方が間違っているか、②勉強量が足りていないか、のどちらか**に分類できます。

この本の第1～3章で既に、勉強のやり方や勉強量の増やし方については言及しているので、対応するところを再度読んで使えそうな部分を実践してみてください。

また、ここまでで紹介した勉強方法を実践できているかチェックして、できていなかったら前に戻って取り入れてみると、現状が改善すると思います。

ここまでで、全体的な勉強の話が一通り終わりました。

次の第5章からは、受験や資格試験など、みなさんにとって今最も重要な課題で結果を出すための勉強法に焦点を当てていきます。

主に大学受験を意識した内容になっていますが、資格試験や中・高の定期テスト対策にも参考にできる部分があると思います。

また、私が東大を受験した際の推薦入試について、プレゼンテーションやスピーチの対策にも触れていきますので、興味のある方はぜひこのまま読み進めていただければ幸いです。

まとめ

- ○目標が達成できなかったらすぐに現状分析を始める
- ○1日どんなことをしていたか記録する
- ○テストの結果を見直して分析を行う
- ○第1～3章に戻って勉強法をチェックする

質問にお答えします

保護者の方向けQ＆A

Q「ご両親の教育方針について教えてください」

驚かれるかもしれませんが、私は両親に「義務教育をちゃんと受けていれば、高校すら行かなくてもいい」「自分の好きだと思うことをしなさい」と言われて育ちました。

子どもの頃、私は『百獣戦隊ガオレンジャー』が好きすぎて、描く絵がすべて5色の丸になりました。周りの子が素敵な絵を描けるようになり心配されても、両親は気にせず、私の体ほどもある大きな画用紙を買って好きなだけ描かせてくれました。

私が中学生のときDAWソフトで作曲を本格的にやりたいと言ったときも、「それならレーベルに入った方がいい」と言ってオーディションを探してくれました。

合格して事務所での育成が始まり忙しくなると、「両立が大変なら転校してもかま

わないよ」と言って資料を集めてくれていました。

「自分がやってみたいと思うことのために生きなさい」「若いうちはまずはやってみてたくさん失敗しておきなさい。小さいうちに失敗しておくと大人になってからの失敗に強くなれる」というのが我が家の教育方針です。


「時代が変われば価値も常識も変わっていくけれど、どんなことが起きても、身についた教養だけは誰にも奪うことができない。我が家が子ども達に残せるのは教育だけ」というのが親の口癖です。その教育は勉強に固定されたものではなくて、音楽でも美術でもゲームでもなんでもいいのだそうです。

私は英語が日本人としては得意な方ですが、我が家の幼少の頃の教育法は、机に向かう勉強をさせないというとても変わったものでした。インターナショナルスクールに入れたのも、ホストファミリーをしたのも、生活している中で子ども自身が英語で話す必要性を感じて自然と話して欲しいと思ったからだそうです。

こんな風に自由に育てられたので「やらされる勉強」ではなく「自分が必要と思って取り組む勉強」を私はするようになったのだと思います。

子どもは当時の私も含め、人生の経験値が低いので、大人に比べて知っていることも気付くことのできる範囲も限られます。

「子どもが勉強をしなくて困っています」というコメントをいただくことがあるのですが、もしかするとお子さんが勉強しないのは、勉強をした先にどんな世界があるのか、どんな意味があるのかが分からないのかもしれません。

本人が好きなことや興味のあることについて一緒に話をしながら、そのために何が必要で、どんなことをすべきか、さまざまな選択肢を見せてあげると、お子さんは自らの意志で自分のやりたいことを選びとって進んでいけると思います。

そうすると子ども自身が決めたことなので、人のせいにしなくなり、自分の進もうとしている道に責任をもつようになります。

私も両親からは「音楽で食べていきたいなら別に高校には行かなくていいよ」と言われていました。勉強も「してもしなくてもいい」とのことでした。

ただし「何をしてもいいけど、誠心誠意、一生懸命やりなさい」とは強く言われました。「一生懸命やった結果が何であれ応援するよ」「一生懸命やって10個のうち1個でも自分の身についたら大したものだ」と言ってくれたことが心に残っています。

第5章

突破する

科目別の攻略法

まずは入学試験で合格するための目標を立てよう

目標は志望校の数だけ定める

各科目の対策に入る前に、入学試験における目標設定の仕方を考えます。

まず、どんな学校に入りたいかを考えて、そこに入ることを「大目標」として定めてみましょう。

複数行きたい学校があるなら、その全部を「大目標」と設定して大丈夫です。

具体的な学校名が浮かばない場合は、たとえば駅伝や水泳が強いところ、物理学科があるところなど、大まかな候補を定めるだけでもかまいません。

また、「学校の先生からムリだと言われた、自分にとって偏差値の高い大学を目標に定めていいのか」という質問もよく寄せられます。これは、むしろ行きたいと思う気持ちがあるなら、目標の1つに入れておく方がいいと思います。

まずは、**目標は自分の志望する分だけ複数定めてみてください**。

現時点で進学できる可能性が低い学校と高い学校の両方に合格することを目標として設定すれば、安心感をもって高い目標に挑むことができます。

そして、現時点では少し非現実的な目標であっても、高みを目指して真剣に勉強を続けていくうちに実力がつき、現実的な目標となることはよくあります。

また、負担がかかるものを基準に勉強を進めた方が、**後々目標を変更するときに対応がしやすい**です。

たとえば5科目対策しないといけない状態から3科目の対策に切り替えるのはある程度容易ですが、逆の場合はすごく大変な気持ちになりませんか？

目標を高く定めておくと、取れる選択肢が広がりさまざまな事態に対応しやすくなると思います。

ここまでで「大目標」は決まりましたでしょうか？

次に「中目標」を定めるために、以下の事項を調べてみましょう。

【試験日】を常に意識する

試験日はいつで、今から何日後、何カ月後、何年後なのかを把握しましょう。

手帳に残り日数を数えて書き込んだり、スマホにイベントまでの日数を数えるアプリなどを入れて活用したりすると、あとどれぐらいの時間があるのかという感覚をつかみやすいです。

日頃から目につく場所に残りの日数を表示させることが大切です。

そうすることによって、試験が近づいているという意識が常に生活の中に生まれます。また、試験までの期間を正確に認識できるので、計画的に学習に向かえるようになります。

【試験の方式・科目】を把握する

大学や試験の種類によって入試の方式、必要な受験科目、場合によっては科目ごとの出題範囲が違います。

まず入試の方式について。たとえば一般入試・推薦入試・AO入試・共通テスト利用・FIT入試など、現在さまざまな種類があります。

さらにどの方式で受かるかによって、その後の学校生活が若干異なる場合も出てきます。

私の場合、東大の推薦入試と一般入試を併願していたのですが、同じ志望校であっても準備しなければならない内容が別々でした。そのため、推薦入試に向けて履歴書・論文などを準備しつつ、一般入試の試験勉強を並行して行っていました。

このように何を準備しなければならないのかは、たとえ同じ大学であっても入試の方式によって大きく異なります。

また東大の場合、推薦入試で入った人には特別に、1、2年生で法学部のゼミに応募することが許可されていました。

どの方式が自分に合うのか、そして入学した後の自分にとってメリットが大きいのかを考えながら、入試の方法について調べてみるといいと思います。

次に受験科目について。

学校によって**科目数が大きく異なる**場合があります。

たとえば、私の中学受験の話になりますが、国語・算数・理科・社会以外にも体育・図工・音楽などのテストが出る学校を受験しました。

そういった変わった受験科目がある場合もあり、人によってはその対策をしたいという方もいらっしゃると思うので、その点も早めに調べてみるといいと思います。

【問題の傾向・レベル感】をつかむ

問題の傾向・レベル感の把握をしましょう。記述式なのか、選択式なのか、問題の形式に着目して過去問を数年分読んでみるといいと思います。

形式が特定できたら、**どういった知識が必要で、どうやってその知識を使えば解けるのだろうか、と考えながら**再び問題を読んでみましょう。

たとえば、「古文の現代語訳を書き記す」という問題を例に考えてみます。

この問題を解くには、①品詞分解をする、②分解した名詞・助詞・助動詞などの意味を正しく理解することが必要になると分かりますね。

こういったことを考えながら問題を読むと「中目標」が立てやすくなります。

ここまで調べ終わったら、「中目標」を設定してみましょう。

どのような知識が使えるようになるべきか分かっていると思うので、①期限・②対象・③レベル感、を明確にしながら数カ月おきの「中目標」を科目ごとに決めてみましょう。

「中目標」を決めづらいという方には、志望校対策の模試やある程度規模の大きい模試を1つの指針にするのも手です。

模試を解くために必要な知識を一通りインプットし、試験でアウトプットできるようにする、ということを数カ月おきの目標とすることをオススメします。

模試は結果が返却されるので、「試験日までに絶対にここまでできるようにしよう！」という意識をもって取り組みやすいと思います。

さて、ここまで来たら「小目標」を設定しましょう。

私の場合、まず問題を解く上で必要な知識をインプットする期間を先に設けていました。次に例題で知識の使い方を覚えて、最後にたくさん問題を解いて定着させるようにしていたのです。

暗記系と思考系の科目でやり方を少し変えてはいたのですが、全体の流れとしては概《おおむ》ねこの通りです。

このように、「**知識をインプットする期間、基本的な使い方を覚えるアウトプットの期間をいつ取るか**」**という意識をもって毎日や1週間の予定を組むと勉強がはかどりやすい**と思います。

私は、インプットとアウトプットは、算数・数学だったら分野ごとにまとまった時間を取ってそれぞれ行っていました。社会や古文などは、全部のインプットを先にやった上で、問題を解く作業に移行することが多かったです。

みなさんそれぞれのやりやすい方法で、勉強の流れを決めて「小目標」を立ててもらえればと思います。

まとめ

- ○入試も「大目標」・「中目標」・「小目標」を設定する
- ○「大目標」は複数個あっても、現実的に難しくてもOK
- ○①期限・②対象・③レベル感、が明確な「中目標」を定める
- ○「小目標」はインプットの期間・アウトプットの期間を考えて設定する

英語

単語力がすべての基礎になる

英単語を覚えるポイントは「つづり・発音・意味・使い方」

和訳問題、英訳問題、リスニング、長文読解、英作文。これが英語の出題の大きな5パターンだと思いますが、どんなときにも必要となるのが、「単語力」です。

たとえば**和訳問題**。英語の文を正しく理解するには、それを構成するそれぞれの単語の意味をきちんと覚えておく必要があります。

英訳問題。単語の意味を知らなければ、和文に対応する適切な英単語を選べないので、やはりそれぞれの単語の意味と書くときのためにつづりを知る必要があります。

リスニング。会話がどんどん流れていくので、耳に入った文章の意味が瞬時に分かるようにしておく必要があります。これには、単語の発音と意味が対応した状態に頭の中を整えておくことが要求されます。

長文読解。これを解くには書いてある単語のつづりとそれに対応する意味を知っておく必要があります。

最後に、**英作文**。英作文ができるようになるには、単語の意味・つづりだけでなく、使い方を理解しなければなりません。

たとえば、hasteという単語。「急ぎ」という意味ですが、これを知っているだけでは文章を書くのは難しいでしょう。「make haste」という使い方をする、という典型的な使い方を覚えておくことが大事になります。

「つづり・発音・意味・使い方」。この4つをしっかりおさえながら、知っている単語を増やし続けましょう。

英単語を徹底的に覚える方法

「単語力」を鍛える方法としては、英単語帳を使うと効率的に行えます。

私は、『鉄緑会《てつりょくかい》東大英単語熟語 鉄壁』（KADOKAWA）という単語帳を愛用していました。みなさん、自分のレベルに合った単語帳で、使いやすいと思えるお好みのものを使っていただけたらと思います。

　どうやって使うかというと、**まずは見開き1ページ分、単語帳に載っている「つづり・発音・意味・使い方」を覚えます。**単語帳に付属しているCDなどがある場合は、それを活用しながら声に出して練習すると身につきやすいと思います。

　次に、英単語から日本語への和訳ができるかテストをしましょう。

英語の「単語ノート」の作り方

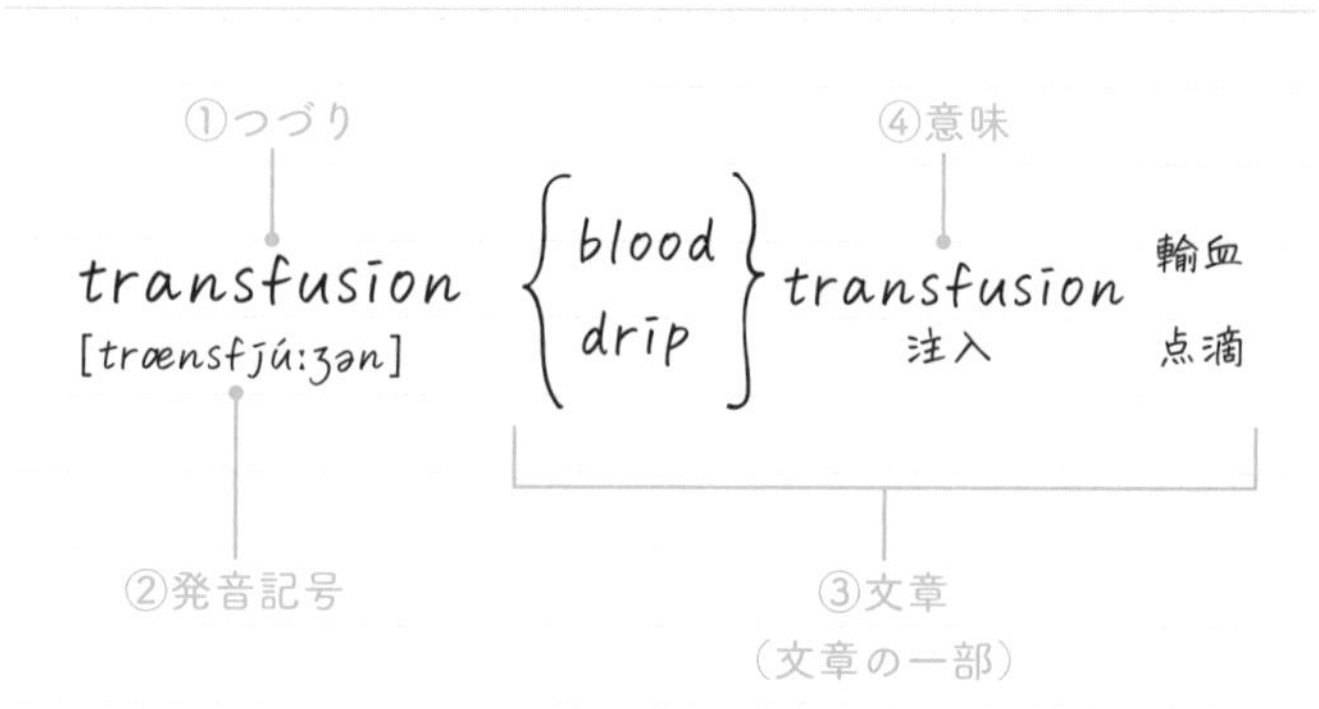

知らない単語は「単語ノート」を使って記録し、語彙を増やしていきましょう。

同時に、発音をしてみて、発音記号をチェックして合っているかどうか確かめます。見開き1ページ分、和訳と発音のテストが終わったら、今度は日本語を見て英単語が分かるかテストをします。

これができたら、また見開き1ページ分進める、という風にしてどんどん進めていきましょう。時間の余裕があるときには、苦手な単語については自分で例文を作ってみる練習をすると、さらに使い方が定着します。

もう1つオススメするのが、単語ノートを作ることです。英語の勉強をしていると、「知らないな」と思う単語に出合うことがよくありますよね。そういった単語の**①単語のつづり・②発音記号・③単語が使われていた文章**（文章の一部）**・④単語の意味**をノートに記録していきましょう。

これらを頑張って自分のペースで進めると、単語力がついてきます。

和訳問題～1語1語丁寧に訳す～

「下線部分を和訳しなさい」といったタイプの問題で意識しておかなくてはならな

いのは、**意訳ではなく原文の単語を忠実に訳すことが求められている**という点です。

なんとなく雰囲気で訳してしまうと、減点が重なって足元をすくわれます。

文法に即して1語1語を丁寧に訳す、という意識が何よりも大事になります。

そのためには、単語一つひとつの意味を正確に理解すること。そして文法のもつ意味をきちんと理解すること。この2つが必須になります。

英訳問題〜基本的な文法を正しく使うことが大事〜

英訳問題の採点をするとき、「文章として意味が通っているか？」ということが一番大事になります。文法と単語が正しく使えていれば、文章の意味は自然と通ってくるので、まずは基本的な文法をきちんと使えるようにしていきましょう。

そのためには、基本的な文法の短い例文をたくさん暗唱できるようにすることをオススメします。

たとえば、中学1年生のときのbe構文。I am、You are、He was、She is ……というものです。I am a student. など基本的な例文をある程度暗記することによって、英語特有の語順や形容詞の使い方など、基本的な型が身につきます。

単語を正しく使えるようになるためには、単語を使う練習をするといいでしょう。どうするかというと、使い方が分からない単語が出たら例文を作って誰かに見てもらうことをオススメします。

正しい使い方ができているか確認してもらえるので、これを習慣付けると使える語彙がどんどん増えます。

リスニング～単語に反応するスピードとメモの取り方が重要～

リスニングは、会話がどんどん流れていくので、耳に入った文章の意味を瞬時に分かるようにしておく必要があります。ここでは単語に反応するスピードを速めることがカギになります。

そのためには、**単語を音で聞いて意味を瞬時に答える練習**を繰り返していきましょう。繰り返すうちに単語の発音と意味が強く結びついてきて、すぐに意味が分かるようになってきます。

もう1つオススメしたいのは、**会話の要点を書き取る練習をすること**です。リスニングのとき、一言一句聞き取れるならそれが理想ですが、現実的に難しい場合もありますよね?

そういうときには、何がこの会話の肝なのか、注意しながら聞いてみましょう。基本的に問題で聞かれるのは、会話の重要なポイントだけです。

英語を耳で聞く練習を繰り返すことで、会話での音の強調の仕方、テンポ感などから、「ここが重要だ」というところが抽出できるようになります。そういう部分をメモする練習を重ねると、リスニングで点が取りやすくなります。

長文読解〜「接続語」に注意して論理を追う、中断しない〜

長文読解をする上で大事なのは、濃淡をつけて読むことです。全部を一生懸命丁寧に読むと疲れてしまいます。

なので、**大事なところは集中して読んで、そうじゃない部分は流し読みをすると**文章読解の精度が上がります。

重要な部分とそうでない部分を区別する基準は「**接続語**」があるか否かです。基本的に、文章の中で大事なところには**接続語が使われている**ことがほとんどです。たとえば、「だから」を表すTherefore、So、Hence……などの後には**結論を表す重要な文**が続きます。「しかし」を意味するHowever、Butなどの後には、**筆者の反対意見やその理由付けが続くことが多い**です。

こういう「重要だよ」というサインである接続語を見逃さないようにすることで、読むスピードが上がりますし、重要なところを印象付けながら読むことにつながります。

もう1つ大事なのが、英単語や表現などで部分的に意味が分からない箇所があるとしても、**読み進めることを中断しない**ことです。

一から読み直してしまうと、ムダに時間がかかってしまい、時間切れになってしまいます。**前後の文脈からなんとなく何を言っているか予想して、振り返らずそのまま読み尽くしましょう。**

その際、分からなかった部分には丸をつけたり下線を引いたりしておくと、どこが読み取れなかったかを忘れずに読み続けられると思います。

二次試験では英作文の問題が出題されることがあります。

この対策としては、問題集や過去問をいくつもこなして、**基本的な解答の型を自分の中で確立しておきましょう。**

ちなみに、東大受験で出題される英作文はだいたい90ワードくらいで、長文は求められません。よくあるのが「○○についてどう思いますか」という問題です。

これに対しては「**私は〜と思う。理由は○つある。1つ目は〜、2つ目は〜、……○つ目は〜。したがって私は〜と思う**」といった答え方の**テンプレート**を自分の中に作っておき、それに沿って解答していくに限ります。

このほかにも、過去問や問題集をこなすうちに出題されやすいパターンが見えてくると思います。自分の中で処理手順をきちんと確立し、それに合った英語の表現や単語を習得しておくといいでしょう。

また、このような英作文の採点は、自分で行わずに学校や塾の先生にお願いするのがオススメです。主語と動詞の不一致、冠詞のつけ忘れ、異なる時制の使用などの文法の間違いは自分では気付きにくいからです。

英作文の採点スタイルは、全体をざっと読んだ心象に加え、文法ミスがあれば減点していくものなので、細かい部分も正確に表現することが大事になります。

難しい表現をするよりもなるべく平易な表現を使うようにして、小さな減点を徹底的になくしていくことを目指しましょう。

英語検定・TOEFLなどでも過去問対策は怠らない

近頃、大学受験や留学のときの応募資料として、英語検定・TOEFLなどの民間試験を活用する動きが高まっています。

私の場合、中学3年生のときに英検1級を取得したのですが、これを大学受験で語学力の証明として使用できたので、入試の準備が少しだけ楽になりました。

みなさんの中にも英語の資格を取りたい方がいらっしゃると思うので、対策の上で大事なことについて少しご紹介します。

まず、出題内容を把握するためにも、**過去問は必ずチェック**しましょう。

どんな試験でも、過去問を解いて傾向を把握し、その対策方法を自分の中できちんと確立しておくことが何より大切です。特に英検の場合は、受ける級によって出題形式が違うので級に合わせて確認しましょう。

さらに、**本番と同じ形式の模試を一度は受ける**ことをオススメします。

特にTOEFLのiBTという試験は、全部パソコンで行われるので、画面の使い方に慣れていないと、誤って前の設問に戻れなくなってしまうこともあります。本番通りの環境と時間で一度は受験をしてみましょう。

まとめ

- ○ 英単語はつづり・発音・意味・使い方、をおさえる
- ○ 和訳は1語1語丁寧に訳し、英訳は基本的な文法を正しく使う
- ○ リスニングは要点のメモを取る練習をする
- ○ 長文読解は接続語に注意して最後まで読み切る
- ○ 英作文は典型パターンをストックしておく

国語

国語こそ、論理的に解こう

現代文～選択肢をとにかく切る～

先に断っておくと、私は物語や小説の記述式問題はものすごく苦手です。しかし、そんな私でも選択式問題は点数が取れてしまいます。センター試験の国語は漢字の問題以外満点でした。

ここでは、**現代文が苦手な方でも選択問題で点数を取れるようにするためのテクニック**を紹介しようと思います。**感覚で解かずに論理的に判断すれば、選択肢の正否はきちんと判断できる**ようになります。

知識問題は除き、選択式の問題すべてで心がけていたのは、**選択肢の文章をひとまとまりごとにスラッシュで区切ること**です。

たとえば次のような選択肢の文章があったとします。

「現代の科学は、伝統的な自然哲学の一環としての知的な楽しみという性格を失い、先進国としての威信を保ち対外的に国力を顕示する手段となることで、国家の莫大な経済的投資を要求する主要な分野へと変化しているということ」

（2017年センター試験「国語」現代文の選択肢より）

このままだと少し難しいですね。これは、読点に沿って次のように区切ります。

「現代の科学は、／伝統的な自然哲学の一環としての知的な楽しみという性格を失

い、／先進国としての威信を保ち対外的に国力を顕示する手段となることで、／国家の莫大な経済的投資を要求する主要な分野へと変化しているということ」


続いて、ほかの選択肢も同様にスラッシュで区切ったとしましょう。

そして、区切った部分ごとに問題の内容と本文とを照らし合わせて、それぞれの正否を「○」「△」「×」で判定します。

つまり「現代の科学は、」「伝統的な自然哲学の一環としての知的な楽しみという性格を失い、」「先進国としての威信を保ち対外的に国力を顕示する手段となることで、」「国家の莫大な経済的投資を要求する主要な分野へと変化しているということ」のそれぞれで正否を判断していくのです。


この際に大切なのは「感覚」で判断しないこと。**あくまで本文と照らし合わせ、対応する記述があるかどうかを基準に判断します。**

「確実に合っているな」と思った部分にだけ「○」。「確実に違うな」と思った部分にだけ「×」をつけ、「よく分からない」と思ったら「△」にしておきます。
すべての選択肢で判定ができたら、**「×」がついていないものを優先**に一番ふさわしい選択肢を選びます。

この方法を使えば、つい感覚的に解いてしまいがちな国語の問題を、論理的に処理することができます。**現代文を苦手と感じている方にこそ試して欲しい方法**です。

また、本文に目を通す際には、基本的に「結論はどこだろう」と考えながら読み進めてみましょう。

「結論」「つまり」「しかし」「故に」「ところが」など、まとめにつながったり、それまでの流れを転換したりするような**特徴的な語が出てきたときは要注意**です。その部分に下線を引くなどして印をつけておきましょう。

こうすることで、文章全体の構造を把握することができ、大事な部分を見落とさずに済みます。

古文～単語と文法をマスターすれば必ず勝てる～

国語の中でも古文は最も伸ばしやすい分野です。多少センスが必要になる現代文と比べ、古文は単語と文法さえマスターすれば、ほとんどの問題は確実に処理できるからです。

古文単語の勉強には『マドンナ古文単語230』(荻野文子/学研プラス)を使っていました。これをなぜオススメするかというと、図解や語源まで丁寧に描かれているので覚えやすいというのが1つあります。

また、基本的な語彙は全部網羅されている、というのも1つ。そして、単語帳にできるカードが書籍の中に入っているので覚えるときにものすごく便利だから、というのがさらに1つ理由としてあります。

このテキストにある古文の単語を見て現代語訳ができるようになれば、古文単語の基本はしっかりと1冊でおさえられます。

文法に関しては、学校で使うテキストなどを使用するといいでしょう。

私のオススメは、『必携　古典文法』（明治書院）という本です。学校の古文の授業で使っていたのですが、動詞・形容詞などの分野ごとに演習問題がついていたので、インプットとアウトプットが交互にできる、とても使いやすくまとまったよいテキストでした。

使うのはどんなテキストでもいいと思うのですが、なるべく覚えたての文法を練習できるものを選ぶことをオススメします。

古文～「品詞分解」と「現代語訳」で基礎力をつける～

こうやって古文の文法と単語のインプットが終わったら、まず真っ先にして欲しいのは**「品詞分解」と「現代語訳」をセットで練習する**ことです。

古文を読むとき、最初に品詞分解をしてそれぞれの活用形や意味を確認してから、現代語訳の作業に移ってみてください。

この方法には、活用形を確認できる、各々の助詞・助動詞の意味を確認できる、すべての単語の現代語の意味も確認できる、というメリットがあります。

つまり、**短い文章を訳すだけでも古文に関する基礎力全部が身につく**のです。ですので、古文初学者には一番オススメの方法です。

ちなみに、動詞・形容詞・形容動詞・助動詞などの活用を覚えるには、第2章の暗記のテクニックをたくさん活用できます。「ルール」や「原則」を理解することもとても有効な方法ですし、声に出して活用の変化を唱えることも効果的なので、ぜひ取り入れてみてください。

定期テスト対策には学習共有サイト『マナペディア』を活用することもありました。このサイトには、教科書に載っているような題材の現代語訳や単語をまとめたものがたくさんアップされています。

自分で訳したものを答え合わせしたり、単語を覚えたりするのによく使っていました。

さらにプラスアルファとして、古典常識や文化を身につけたい方には、手軽に学べるものとして漫画『あさきゆめみし』（大和和紀／講談社）もオススメです。

女性は男性に顔を見られてはいけないなどの当時の文化は、現代の感覚ではいまいちピンときませんが、この作品を読むと「なるほどな」と感じられました。

古典常識は一朝一夕に身につくものではないので、戦略的に捨ててしまうのも1つの手だとは思いますが、興味がある方はスキマ時間に読んでみてもよいかもしれません。

漢文～単語と句法をマスターすれば必ず勝てる～

漢文に関しても、**基本的には古文と一緒で単語と句法**（古文でいう文法のようなものです）**をマスターするのみ**です。古文ほど覚えることが多くない上、言葉もどちらかといえば現代語に近いので、苦手意識をもつ必要はありません。

私は漢文の単語については特別な参考書は使わず、教科書を読みながら知らない単語が出てきたら、ノートに記録するという形を取っていました。

句法については、学校で配布されたプリントを使って勉強をしていました。

みなさんも、お好きな句法のテキストをしっかりおさえるところから勉強をしてみてはいかがでしょうか。

「レ点」「一二点」などの「返り点」は馴染みがないもので、文章をすらすらと読めるようになるには時間がかかると思います。ですので、たくさん音読をして慣れてしまうのが早いでしょう。

まとめ

- ○ 現代文の選択式問題は「感覚」で解かずに「論理的」に処理する
- ○ 文章は特徴的な語に注意して結論を探しながら読む
- ○ 古文と漢文は単語と文法をマスターすれば必ず勝てる
- ○ 古文は「品詞分解」と「現代語訳」を必ずセットで練習する

数学

徐々にレベルを上げていく

数学は基礎が固まるとバーンと成績が跳ねる

まず初めにお伝えしたいのは、**「数学は基礎固めが終わると急に伸び始める」**ということです。信じられない方のために、私の実体験をお話ししましょう。

高校2年生の冬休み直前、「数学が苦手なので、できるようになりたいです」と塾の先生に相談しました。

そこで定番問題ばかりが載った問題集を勧められ、それを難なく解けるようになるまで、ひたすら冬休み中繰り返すようにしました。

始めは何の変化も感じませんでしたが、高2の終わり頃には突然開眼したかのように数学が分かり始め、一気に成績が伸び始めたのです。

世界史や地理のように暗記量が点数に直結する科目は、努力に比例してゆるやかに成績が伸びていくイメージがあります。しかし数学は違います。

最初のうちは伸び悩んでいたとしても、**基礎をコツコツと積み重ねて、数学の全部の分野を1周すると、ある日突然バーンと成績が跳ねるタイプの教科**だと思います。それは私で実証済みです。

すぐに結果に結びつくわけではないので独特なつらさがありますが、結果が出る日を信じて、腐らずに頑張り続けるのがカギになると思います。

解法パターンを地道にストックしていく

難しい問題を早く解けるようになりたいと思うかもしれませんが、やみくもに取り組むよりも、まずは**公式をきちんと覚えることを大事にして欲しい**です。

みなさんは、三角比の余弦定理や正弦定理など、ややこしい公式をきちんと暗記できているでしょうか。

もし自信がなければ、問題を解く前にまずはゴロ合わせなどを使って公式を覚えるところから始めましょう。

たとえば、三角関数の加法定理だと

- 「$\sin(\alpha+\beta)=\sin\alpha\cos\beta+\cos\alpha\sin\beta$」→「咲いたコスモスコスモス咲いた」
- 「$\cos(\alpha+\beta)=\cos\alpha\cos\beta-\sin\alpha\sin\beta$」→「コスモスコスモス咲いた咲いた」

などがあり、私も利用していました。

その公式の意味は何なのか、何のために覚えるのかなどは後回しで大丈夫です。たくさん問題を解いて公式をきちんと運用できるようになった頃に、自然と納得できる感覚が得られるので安心してください。

公式を覚えたら問題を解いていきましょう。ただし、大切なのは徐々にレベルを上げていくことです。最初のうちは公式をそのまま使う例題レベルでも大丈夫なので、覚えたものを正しく使いこなす経験を積んでいきます。

定番問題をいくつもこなしていくうちに、その公式がどういうパターンの問題に使えるもので、どうやって問題を処理したらいいか、という手順が自分の中で少しずつ確立されていきます。

このように**解法と解法が使える問題のパターンをストックしていくことが数学攻略の大事な点**になります。

なぜなら、数学の難問は見ただけでは解法が見えにくいという特徴があり、解法のストックを行わないと問題が解きにくい教科だからです。

解法が見えにくい問題に対応するためには、**解法が使える問題のパターンの特徴をしっかり理解すること**が、まずは大事になります。

典型的な問題ほど、それがはっきりと表れているので、解法と対応する問題のパターンをストックしていくにはぴったりなのです。ですので、**基礎中の基礎からでよいので、解法パターンを地道に貯め続けていくことをオススメ**します。

簡単に解ける典型的な問題をこなすうちに、解法パターンがストックされていくと、反射的に解き方が分かるようになっていきます。

たとえば、「接線を求めよ」という問題に対して反射的に「微分だな」とピンとくるようになったり、もっと難易度の高いものでも「図形問題ならアプローチとしてはベクトルがあるよね、座標に落とし込めるよね、正弦定理・余弦定理があるよね」などと解法がいくつも思い浮かんだりするようになっていくのです。

共通テスト対策では時間配分が大事

共通テストでも二次試験でも「基礎問題を中心に基礎的な解法をストックしていく」ことが数学攻略の肝であることは変わりません。

ただ、共通テスト対策としては「**時間配分**」を意識することは絶対に欠かさないで欲しいと思います。

共通テストは時間との戦い。油断していると全部解ききれなかったり、見直しの時間を取ることができなかったりします。二次試験では点数が取れるのに、共通テストでは取りきれないという方もいらっしゃるのではないでしょうか。

対策としては、**過去問や模擬問題などで実際に自分がどれくらいの時間をかけて**

解いているのかを明らかにすることです。

たとえば20分の配分としているセクションに25分かかっている場合。どこに詰まっているのかを確認し、少し日を置いてから再び解けるか確認しましょう。

ほとんどの場合、最初に25分かかった問題は、次に解いても同じくらいはかかるもの。どこができないのか再確認して、短縮するつもりで練習することを繰り返します。**タイマーを使ってきちんと時間を計りながら練習**しましょう。

逆に、二次試験の場合は、時間がネックになることはあまりないでしょう。

それよりは、単純に自分が分からないから点数が取れないケースの方が多いです。

その原因は、解法の手順を思いつくことができていないから。二次試験では、ひたすら自分の中にストックしてきた解法の量がものを言うのです。

解けなければ、なぜ解法手順が思い浮かばなかったのかを考えます。

その解法パターンにあまり馴染みがないと感じたら、基礎問題でそれに類するものを改めてたくさん解くようにし、ストックを増やすようにしましょう。

引きの目線で「見直し」を必ず行う

また、数学の場合は「見直し」も大切なテクニックとなります。「**答案用紙の中で計算をする場所と式を立てる場所を分ける**」「**グラフを丁寧に書くことを意識する**」「**大問ごとに見直しの時間を設ける**」などがいいと思います。計算に没頭しすぎず、見直しには客観的な「引き」の目線で挑むことも大事です。そうすればたとえば確率の問題で「いや、これで確率が1以上になるのはおかしいよね」など現実的な目線でミスを発見しやすくなります。

まとめ

- いきなり難しい問題を解かずに徐々にレベルを上げていく
- 高3になるまでは基礎問題でひたすら解法をストックしておく
- 共通テストは時間配分が特に大事
- 「見直し」のテクニックでミスを防ぐ

社会

直前まで諦めない

理屈と紐付けて暗記量をなるべく減らす

私が受験勉強をした社会の科目は「地理」と「世界史」です。

特に地理は、第2章でお伝えしたように「理屈で紐付ける」という方法を最も適用しやすい科目。私にとっては面白い上に身につきやすく、とても得意な科目でもありました。

社会科目はかなり暗記量が多いので、**なるべく理屈で理解して暗記量を減らすこと**を心がけましょう。その際、「産業」「経済」「政治」などの切り口を意識すると背景に広がりが出てストーリーで紐付けやすく、理解が進みやすいように思います。

「**産業**」の例でいうと、たとえば名産物があります。「海苔」「昆布」「ワカメ」は、似たようなイメージがありますが、実は名産地はそれぞれに異なります。

理由は対応できる生育環境が異なること。

海苔は暖かい海でしか育たないので瀬戸内海沿いや九州でよく採れます。逆にもう少し寒い方がよいのはワカメ。岩手、宮城、徳島などで生産が盛んです。

そしてもっと寒い場所でないと育たないのが昆布です。北海道産の昆布はよくスーパーでも売られていますよね。

「**経済**」の切り口では「ビール」について考えてみましょう。

ビールはどんな地域で製造が盛んになりやすいと思いますか？

ビールの原料は主に麦と水。ほかのお酒ほど、造る際に水質が重視されません。なので、直感的には麦が生産できる地方で発展しそうに思われますよね。

しかし実際は違います。ビールの重量のうち水が9割を占めるので、麦の輸送コストよりも水の輸送コストの方が、立地に与える影響が大きいのです。

結果的に地方ではなく、消費量も多く輸送費もかからない都市で発達しやすい傾向があります。同じアルコール製品であってもワインやウイスキーなどが地方でよく造られているのは、水質が味に大きく影響するからです。

「政治」の切り口は、「選挙の仕組み」が分かりやすいかもしれません。

小学校で習う「衆議院の優越」。参議院より衆議院の方に強い権限を与える理由には、任期が関係しています。

民主主義という憲法や政治の趣旨《しゅし》に立ち返って考えてみると、国民の意見を反映しやすい方に強い権限を与える必要があるわけですが、衆議院は4年、参議院は6年の任期があります。

つまり、より頻繁に国民の意見を反映する機会があるのが衆議院なのです。

このように「産業」は自然の合理性、「経済」はお金儲《もう》けの合理性、「政治」は制度的な合理性があるので、背景にあるストーリーが理屈で紐付けやすいのです。

「なぜ北海道で昆布が多く取れるのか？」「なぜ都市でビールが多く造られているのか？」「なぜ衆議院の権限が大きいのか？」など、**理由を深掘りすることで理解が進**

み、結果的に暗記量を減らすことができるようになります。

世界史や日本史などの歴史科目も、論理の流れで理解できる部分があれば、なるべくそのようにしていった方がいいと思います。

たとえば世界史で考えてみましょう。19世紀後半〜20世紀前半にかけてイギリスが行った、カイロ、ケープタウン、カルカッタ（現・コルカタ）を鉄道でつなぐ植民地政策（「3C政策」）の背景には産業革命があります。

どういうことかというと、産業革命の影響でそれまで人力で行われていた機織《はたお》り、そして糸をつむぐ作業である紡績《ぼうせき》が機械化され、高速でたくさん綿糸《めんし》をつむぎ、布を作れるようになりました。

そうなると、それまで以上に原材料の綿花の量が必要になります。そしてたくさん作れるようになった布の売り先を確保する必要が出てきます。

だからイギリスは産業革命後に、綿花をたくさん栽培させたり、布の売り先を確保したりするために、植民地を広げて支配を強化するようになりました。

このような歴史的な背景や事実をきちんと把握していくと、大きな歴史的なできごとや流れがストーリーとしてイメージでき、納得感を得られます。流れを整理したり理解したりする際は、第2章で紹介したように声に出して唱えるのも効果的です。論述形式の問題の対策にもなる上、記憶にも残りやすくなるのでぜひ試してみてください。

「大きな流れ」を把握してから「細かい部分」を理解する

ストーリーで理解できるに越したことはありませんが、日本史や世界史といった歴史科目は人の思惑や偶然、文化などいろいろな要素があるため合理的に覚えられない部分もあります。

そのためゴロ合わせの力を借りながら「いつどこで何が起きたのか」の事実を覚えていくことも欠かせません。ポイントは、**まずは大きな流れから把握すること**。その後、細かい部分を徐々に詰めていくといいと思います。

日本史の場合は時系列が縦の流れだけですが、世界史の場合は国同士の横のつながりも把握しなければいけないのがつらいところですよね。

私のやり方としては、まず「この地域でこの時代に何が起きた」という特定の地域での縦の流れを先に理解するようにしました。それをすべての地域で行い、後から同時代の横の地域ごとにつなげていきます。

まずは各地域の縦の流れを優先し、後から横のつながりを把握するのです。

また、人物に関しては人柄や特徴などを少し深掘りすると、功績やできごとなどと関連付けて覚えやすくなります。

たとえば、中国の秦の始皇帝は歴史上の暴君として描かれています。専制支配を徹底するために実用書以外の書を焼き払い、反抗する儒者《じゅしゃ》を生き埋めにしたという「焚書坑儒《ふんしょこうじゅ》」のエピソードを学ぶと「なるほど」と納得感をもってより印象深く覚えることができませんか？

とはいえ、このようになるべくストーリーや流れで理解を進めたとしても、さらに余りある暗記量に苦しめられるのが歴史科目です。

ですので、いろいろなゴロ合わせを駆使し、口に出して唱えることもしながら暗記に努めていました。また、赤シートをかぶせて答えを考え、答えられなかったら正の字をつけていく方法ももちろん活用しました。

当時使っていた問題集を全部合わせると厚みが5センチくらいにはなったと思います。それを6周くらい繰り返して覚えていました。

社会科に関してはどの科目を選んでも、膨大な暗記量を避けることはできません。逆にいえば、**暗記を頑張れば点が伸びやすい教科である**ことも事実です。

私が高3のときに一番時間を使っていたのもやはり社会（世界史）でした。試験本番直前まで伸ばすことができる教科（科目）なので、頑張りましょう。

まとめ

- 「産業」「経済」「政治」などの切り口から背景を探り理屈で紐付けて膨大な暗記量を減らす
- 歴史は「大きな流れ」から「細かい部分」の順に把握する
- 本番直前まで伸ばし続けられる教科なので最後まで手を抜かない

理科

暗記と演習は同時進行で

早めに問題に取り組む

私が理科で受験したのはセンター試験の「地学基礎」と「化学基礎」だけです。ですので、理科をあくまで共通テストレベルでのみ使う方向けの勉強法だということは念頭に置いていただけると幸いです。

地学基礎と化学基礎に関して、理系の科目ではありますが、実感としては地理や世界史の対策に近かったかなと思います。

特に地学基礎はほとんどが知識を問うタイプの問題。つまり暗記すべきものを暗記したら、あとはひたすら問題を解いて覚えていく勉強スタイルです。

化学基礎は計算問題もあるので、数学に近いと思う方もいらっしゃるかもしれません。しかし、数学との決定的な違いは「**解法が1種類しかない**」点です。数学と違い、1つの問題に対していくつもの解法を思い浮かべないといけないというシチュエーションは共通テストのレベルでは存在しません。

よって、**暗記すべきものを覚えたらどんどん問題を解いて慣れていきましょう。**

ということは解いた問題の答えが間違っていた場合は、解法が分からないのではなく、入れるべき知識が頭に入っていないことが原因であると考えられます。あるいは、問題演習が足りないかのどちらかです。

理屈とゴロ合わせでどんどん暗記する

地学基礎は宇宙や地球など「自然」に関する内容なので分かりやすい合理性があり、さらに感覚として身近であることも相まって理屈と紐付けやすい科目です。納得感を得ながら勉強できるため、暗記するのにとても苦労するというわけではありませんでしたが、時代区分などはゴロ合わせを利用して覚えました。

一方、化学基礎は地学基礎に比べれば身近な印象は薄れます。

しかし第2章で紹介したように、元素周期表の並びの原則を理解しておけば、化学反応に関する問題などはかなり対応しやすくなるように思います。

覚えるのが大変なイオン式は、世界史と同様、覚える部分に緑マーカーを引き、赤シートを重ねて答えを考えていくスタイルで何度も繰り返して覚えていました。

また、ほかの科目とのバランスを考えると多くの時間を割くわけにはいかなかったので、化学基礎に関しては特に**インターネットを活用して問題を解いていました。**「イオン式　高校問題」「イオン式　化学基礎」などのワードで検索すると、既に問題としてまとまっているものが見つかります。それをプリントアウトし、用紙を半分に折って答えを隠せば緑マーカーと赤シートを使わずに済むので便利です。

まとめ

- 早めに問題に取り組み、覚えにくい内容はゴロ合わせを利用する
- 暗記教材はインターネットで探すと便利で時短になる

特別編

東大推薦入試対策

私が推薦入試合格のために心がけたこと

東大では2016年度から推薦入試を導入しており、私はその2期生として入学しました。

東大推薦入試は海外の入試対策にとても近く、長期間にわたる生徒の学術的な取り組みや学校での生活全般、共通テストの点数など、さまざまな要素が選考にかかわってくる入試です。

つまり、一般入試とは準備しなければならないことや選考の流れがかなり異なります。

ここでは実際に東大推薦入試を体験したからご紹介できる、推薦入試の対策方法に関して話していきます。あくまで東大の話にはなりますが、ほかの大学にも通じる内容だと思うので、興味のある方はぜひ読み進めてくださいね。

まず、推薦入試に向けて心がけたことは以下の6点でした。

・高校の授業と行事に積極的に参加し、**学校を休まない**

評定平均で高校の上位1％以内を保つ

評定平均値には、体育や美術・生活のように、広い範囲の科目もすべて含まれます。私は運動が苦手なので、体育に関しては、ペーパーテストで高得点を取る、マット運動やバドミントンなどの実技は自主練習を行う、といった対策で成績を上げるようにしました。

・国際サミットや、Stanford e-Japanプログラムなどに積極的に参加し、**国内外の問題に目を向けながら実践的に英語力を鍛える**

・東京大学の**教授にも読んでいただける水準の論文を書く練習をする**

私の高校では、論文・リサーチペーパーをよく書かせてくれたので、その経験がとても役に立ちました。これは東大入学後も役立っていますし、将来的に弁護士という職業に就いても活きてくると思っています。

- **ボランティア活動をする**

私は地域の子ども達に自然を体験させるボランティアをしました。

- **英語の資格を取る**

（これは既に英検1級を取っていたので、新たに取得しなくて済みました）

ここまでの話を読んで、「具体的に、いつ何をすればいいの？」と疑問に思う方もいらっしゃると思います。

そこで次は、どういったスケジュール感で何をしたか、という私の受験体験の話を時系列でしていこうと思います。

私の東大受験体験記

高校2年生の春頃に、担任の先生から「東大でこのような入試制度があるんだけれど、鈴木さんも挑戦してみたらどう？」と声をかけていただいたのが東大推薦入試を選択肢の1つとして考えはじめたきっかけです。

法学部の推薦入試について調べる中で、推薦入学者だけは大学1、2年生から専門分野のゼミに応募することが許可されると知りました（東大は一般入試で入ると1、2年生の間は教養学部前期課程に所属し、専門の学部に入ることは原則できません）。

将来は法曹《ほうそう》になりたいと考えていた自分にとって、とても魅力的な制度なのではないのかと考えるようになりました。

実際に推薦要項を見てみると、志願理由書・論文・社会貢献を証明する資料など、非常に多くの資料の提出が要求されていると分かりました。

そして私は、「自分はこの条件に合致している。高3の秋までには大変そうだけれど、なんとか条件をそろえることができるはず。それならチャレンジしてみよう」と、一般受験と並行して東大推薦を受ける決意を固めたのです。

高2の春から秋にかけては、高1の春に選考を通過していたアジア太平洋青少年リーダーズサミットとStanford e-Japan プログラムなどの国際的な教育プログラムでの活動に打ち込みました。そこで興味をもった「南アジアでの女性の人権問題」については、活動後も自主的に調べるようになります。

高3の4月に、自主的に調べを重ねる中で関心をもったテーマで論文を書こうと決め、7月頃までに第一稿は書き終えました。ちなみに、そのテーマは「インド・パキスタンでの名誉殺人《めいよさつじん》についての判例《はんれい》と法解釈《ほうかいしゃく》の変遷」というものです。

高3の夏から秋にかけて、推薦者を決める校内選考があったのですが、誰が選出されるかは東大推薦出願締め切りの2カ月前まで分からない状態でした。

そのため、先生からも「誰が選ばれるか全く分からないから、とりあえず推薦入試のことは考えず、一般入試に焦点を絞って受験対策をしなさい」とアドバイスされました。

私自身も、あくまで一般受験で合格するつもりで夏休みは勉強に明け暮れました。推薦入試の選考で選ばれた場合、秋からはそちらの準備にかかりきりになってしまうと思い、夏で貯金を作るつもりで一生懸命勉強したのです。

高校3年生を対象に、夏と秋にそれぞれ2回、計4回行われる「東大模試」というものがあります。東大の受験生のほとんどが受けるので、この模試でどれぐらいの成績を取るかが本番の合格可能性を測る上で重要となります。

努力した甲斐があって、夏の東大模試ではA判定。成績優秀者としても名前が記載されました。

秋になっていよいよ本格的に受験態勢に入ろうとしていた矢先、担任の先生から「高校から推薦してもらえることが決まったから、推薦入試に必要となる書類の準備を始めなさい」と言われました。

今まで取り組んできたことが評価されたようで、とても嬉しかったです。

それも束《つか》の間、論文を仕上げること、提出書類をそろえること、志願理由書を書くことなど、やらなければいけないことが山積みなことに気付き「これからが大変だ」と思いました。

推薦入試のための資料をそろえるこの1カ月~2カ月の間は、想像以上に一般入試の勉強ができない日々が続き、焦りと不安で追いつめられました。

でも落ち込んでいても時間は待ってくれません。

10月中旬の出願資料の提出に間に合うように、ざっくり書いてあった論文を、「東大の教授に読んでいただける水準だ」と確信がもてるようになるまで、ひたすら推《すい》敲《こう》を重ねました。

学校の先生方や周りの人からの意見を参考にしては、また推敲を重ねるという作業をくり返し、最終的に提出するまでに10回以上全体を書き直したと思います。

とにかく期限までに自分が納得できるものを作り上げられるように必死で取り組み、10月中旬までに資料すべてをそろえ、無事に提出することができました。


その後は、推薦入試に集中していた2カ月分の遅れを取り戻すために、勉強時間をさらにのばし、毎日10時間以上一般受験の勉強をする日々が続きました。

11月に行われる秋の東大模試で、A判定を維持することを目標に勉強を続けたのですが、夏より少し手ごたえが悪く、「秋の遅れが結果に出てしまっている」と焦りましたが、さらに勉強を重ねました。

そうしてあっという間に、12月。東大推薦の第一次選考を通過したという連絡が来ました。今度は、12月中旬に行われるグループ討論と、教授との面接です。

そのため、再び一般受験のための勉強を中断して、論文についての面接の対策を始めました。

具体的にどうしたかというと、出願時に提出した資料、特に論文を元に質問されるだろうと思ったので、そのための想定問答作りに最も力を入れました。

論文に書いたことをきちんと把握した上で、内容に対する反対意見、質問などが来る可能性を想定し、答える練習を行って万全の状態を整えました。

想定問答を作るときには、家族、友達、学校や塾の先生、知り合いなど、たくさんの人に論文を読んでもらい、疑問に感じた部分や意見を伝えてもらいました。

本番に備え、ロール・プレイングの体《てい》で返答した上で、さらにそれを基により良い返し方があればブラッシュアップし、想定問答集に足していくという流れです。

そしていよいよ受験当日。

午前中のグループ討論は、その場で資料を与えられてそれについて皆で議論をするという一般的な形式のものでした。満足のいく進め方と発言ができたので、自分でもかなり手ごたえを感じたのを覚えています。

しかし午後からの教授との質疑応答で、かなり苦戦を強いられました。

私が書いた論文についての質問には、想定問答を頭に叩き込んでから臨んだので、かなり正確な返事ができていたと思います。自分の頭で落ち着いて考えた上で返事をすることができたと感じました。

驚くぐらい面接が円滑に進み、いらっしゃった3名の教授の方々も興味をもって温かく接してくださっていたので、途中までは手ごたえが感じられました。

しかし、残り時間が少なくなってきたときの最後の質問でつまずいてしまいました。自分が全く学んだことのない分野の質問を教授から投げかけられたのです。

専門的な深い知識がないと思い、軽くパニックになりました。

その場で必死に今ある知識を使って自分なりにこう思うという返事はしたものの、教授はそれに対して「論理の穴があるのではないか」とさらに深くご指摘され、議論を深められました。

また何か絞り出して答えはするものの、結局時間切れになるまでに説得しきれた感触はなく、これでは受からないのではないかと失望して、泣きながら家に帰ったのを覚えています。

でもどんなに泣こうとも一般入試は迫ってくるばかりなので、翌日からは推薦入試のことは忘れて勉強に没頭しました。センター試験まで残り約1カ月と試験が迫っていたので、苦しいぐらい勉強をしました。受験期で一番つらい時期でした。

そんな中、秋の東大模試の合格判定結果が返ってきました。そこでA判定、成績優秀者として名前が記載される状態を維持できていました。少し救われた気持ちになって、「このままやれば受かるぞ」という気持ちで、また愚直に勉強しました。

センター試験まで1カ月を切ってからは、二次試験の勉強に割く時間を減らし、センター試験の過去問を毎日解き続けるようにしました。

年が明け、センター試験を受け、早稲田大学法学部のセンター利用入試に合格。

それから間もなく、東大推薦入試の合格発表があって私の東大受験は終了しました。

推薦入試を受験したい方へのメッセージ

ここからは、「東大推薦を受けたい」という方に、いくつか重要だと思う点を伝えようと思います。

あくまで東大に特化した話にはなりますが、先ほど言った通りに、ほかの大学の推薦入試にも通じるところはあると思うので、参考にしていただけたら嬉しいです。

◎推薦入試の募集要項は高2の春には目を通しておく

出願にあたって用意すべき資料や書類は思った以上に多く、出願条件を満たすのは大変です。

高2など、ある程度早い時期に募集要項を見て、いつどんなことをしようというざっくりとした計画を立てておかないと、資料全部をそろえるための準備が大変になると感じたので、早めに計画を立てておくのをオススメします。

◎一般入試と併願する場合、9～10月と12月に負担が大きくかかるので注意する

出願の受付は11月から始まるため、9～10月はその準備に費やすことになります。そして、一次選考と二次選考の間である、12月上旬も準備にかかりきりになってしまいます。

高3の秋・冬におよそ2カ月半受験勉強をできない時期があるのは、かなりのハンデになりますし、何よりも思った以上に不安な気持ちになります。

併願しようと考えている方は、夏の終わりまでに、「東大に安心して受かる！」と思えるだけの受験勉強をしておくといいと思います。

◎グループ・ディスカッションは相手のお話をしっかり聞いた上で発言する

グループ・ディスカッションは10人くらいの学生で行われて、資料をその場で渡され、その内容について全員で話し合うというスタイルになります。

このときに大事だと思うのは、**ほかの受験者の方のお話をきちんと聞いた上で、自分の意見を適切な形で伝えること**です。

ディスカッションは、違う考えをもつ一人ひとりが意見を出し、お互いに意見をしっかり受け止めた上で、それぞれの思考を深め再度意見を発信することができると、よいものになります。

緊張しているので視野が狭くなって、「私が」と主張しやすくなってしまうかもしれませんが、「自分1人で正解を導く必要はない。周りの話を理解して、議論を深めていこう」という意識をもつといいと思います。

実際、私のグループはみなさんそういう相手の話を聞こうという気持ちをもった方ばかりだったので、すごく和やかな雰囲気でディスカッションが進行しました。

◎質疑応答の想定問答集は役に立つので作ってみる

想定問答集は箇条書きでA4用紙の3ページ分と、かなり多めの分量になりましたが、**想定質問に対する回答は全部覚えてから臨むようにしました。**

結果、実際の個人面接では、想定していた質問が7割出て、「準備していて良かった」と思いました。

たくさんの人に読んでもらえば読んでもらうほど、良い想定問答集ができると思うので、学校の先生などに相談しながら作っていきましょう。質疑応答がスムーズにいきやすくなると思います。

◎面接で詰まってもゲームオーバーではない。考えようとする姿勢が大事

面接でもし1問ぐらいうまく答えられなくても、それだけでは落ちません。現に私も、予想外の質問の1つに対し「すみません、もう一度質問をお願いします」と聞き直し、正確に答えられませんでしたが合格しています。

大事なのは、分からないからといって諦めるような態度を取るのではなく、自分なりに考え問題に向き合えるかどうかだと思います。

先生方は高校生に完璧な答えを求めているわけではなく、「これからどう学んでいく学生なのか」「個々の学生のもっている特性が東大で学ぶことでどう進化していくだろうか」という点を重視されているのではないでしょうか。

しっかりと先生の質問内容を確認した上で、自分なりに考えた事とその思考の過程を誠実に話せばそれで大丈夫だと思います。

もし、質問の意味が理解できない場合には、「～のような趣旨での質問だと思うのですが」というような前置きをして、質問者の意図を確認してから答えましょう。

面接は、ペーパーテストと違って人と人のやりとりなので、話をしていくうちに、考えの糸口が見つかることもあります。

◎推薦入試で受かると早めの段階で専門分野に触れたり、研究室に進めたりする

東大の場合、一般入試での入学との大きな違いの1つとして、推薦入試で合格した学部に必ず進まねばならないというルールがあります。

ですので、東大の特徴でもある「専攻《せんこう》は入学後に決めることができる」というメリットは享受《きょうじゅ》できなくなります。

しかし、**入学後や将来に学びたいことが明確に決まっている学生**にとっては、早めに自分の打ち込みたい分野の勉強を始められるというメリットがあります。

また理系だと、早めに研究室に所属させてもらえるという大きい利点があるようです。

◎推薦生同士のネットワークがある

大学に入った後に知ったことなのですが、推薦入試で入った学生のための交流会が年1回開催されています。

推薦入試で合格するのは毎年わずか70人前後（一番多かったのは初年度の77人、一番少なかったのは2019年の66人）ですが、法学部をはじめ東大にある10学部すべてに合格者がいます。

交流会にはそういった異なる専門分野をもつ学生が一堂に会するので、大変貴重な機会です。

宇宙工学の研究をしている人がいたり、哲学の研究をしている人がいたりします。私は資格試験などの関係で1年生のときしか参加できませんでしたが、刺激を受けました。

普段の自分の研究から視点を広げることは、学びの質を高めることにつながると思いますし、起業やビジネスコンテストなどに、こういったネットワークを利用して挑戦してみるのも面白いと思いました。

また、全体での会以外にも、法学部推薦生の会などがあります。その中で尊敬する友人がたくさんできたので、そういった面でも私にとっては東大推薦入試で入学して良かったと感じています。

ここまで東大推薦入試対策方法をいろいろとお伝えしてきましたが、興味をもたれた方はぜひ挑戦して欲しいと思います。

詳細が知りたい方は、東大推薦のホームページを一度読んでみてください。

研究実績、プログラミング能力など高校生活を通しての取り組みを問うのですが、学部によって募集要件はさまざまです。

共通テスト8割以上の得点（入学後、東大の授業についていくために必要とされる学力）という条件だけは共通ですが、研究する分野に対しての強い関心と、それに対する高い知識と能力を有する学生であればどんどん挑戦して欲しいと思います。

大学に入学するのは、私達が長い人生を生きていくための学びを始める扉を開くことだと思います。人から与えられる学びではなく、自ら学びたいことを探求する学びがスタートします。

みなさんが自分に合った入学方法を見つけ、大学で素晴らしい先生や友人と共に学びを深められることを心から願っています。

まとめ

○ 推薦入試の要項には早めに目を通しておく
○ 質疑応答の想定問答集は役に立つので事前に準備する
○ 面接では何よりも考えようとする姿勢が大事
○ 推薦で受かると一般入試とは違うメリットがある可能性も
○ 明確な目的がある場合は推薦入試にぜひチャレンジして欲しい

終章 さまざまな学ぶ場

「勉強」以外にもたくさんの学びがある

努力が報われるのは勉強に限らない

本書では「**点数を上げることで努力が報われる体験をして自分に自信をつける」ということを一番の目標**として、さまざまな勉強法をお伝えしてきました。

私がみなさんの点数を上げたいと思うのは、**勉強というジャンルが「努力すれば報われる」という体験をするのにとても適している**からです。

勉強は結果が点数としてすぐ表れるので、漢字や単語などの確認テストのようなものであれば、少し勉強法を変えたり勉強時間を増やしたりすることで目に見えて頑張った結果を得ることができます。

また、インスタグラムの質問の多くが勉強に関するものであったという理由から、こんなにたくさんの勉強に関する私のノウハウを書きつづってきました。

でも本当は、努力が報われる体験にはいろいろあって、たとえばお客様に対して真摯に接して感謝されることでも、クラスで飼っているウサギがお世話をしているうちに大きくなることでも、何でもいいのです。

自分が好きだと思うこと、大切に思うことを自分なりに工夫し努力をし、それがよい方向に進むことが私達にとって喜びとなり、頑張る力になっていきます。

私もそうですが、2年から3年、長ければ6年かかる「大目標」のために、私達は何百日、何千日という膨大な時間を費やします。そしてその結果は報われることもあれば、残念な結果になることもあります。

残念な結果になることは私も嫌だけれど、その頑張った時間がゼロになることは絶対にありません。頑張って費やした時間はすべて私達のかけがえのない経験として蓄積されていきます。

諦めた経験、悲しかった経験、苦しかった経験がのちに、「あのとき乗り越えられたのだから今度も大丈夫」と思わせてくれるようになると私は信じています。

失敗は成功の基です。

とはいえ、失敗ばかりではどんなにメンタルが強い方でもいつかポッキリと折れてしまいます。

だから、「小目標」で小さな成功を積んで、「自分は頑張れる」と信じる力を養うのです。そして身の周りにあるすべての学びを感じて欲しいです。

私が体験した学びは、高校1年生から弁護士になるという夢の実現のために挑戦したものが多いため、勉強関係・法律関係の学びが多くはなっています。

しかし、ゲームでも、アニメでも、音楽でも、あなたの一番やってみたいことにつながる学びをしてくれたらいいなと思っています。

それでは最後にほんの一部ですが、私が体験したさまざまな学びを紹介させてください。

芸能界からの学び

私は小学生の頃からクイズプレーヤーに憧れていて、中学受験で筑波大附属中学に入学してからは軽音楽部とクイズ研究会に入りました。

そして14歳から15歳までの2年足らずの間、私がＳＭＡ（ソニー・ミュージックアーティスツ）に所属して音楽の道に進みたいと思っていたことは、私のインスタグラムや『クイズジャパン』のインタビューなどでも触れてきた通りです。

しかし、高校1年の春にアジア太平洋青少年リーダーズサミットの日本代表に選ばれ、英語研修が毎週土曜に始まることとなり、それがＳＭＡの演技レッスンと重なってしまいました。

高校の先生から研修を休むのであれば代表を辞退しなさいと言われ、どちらかを選択しなければならなくなり、ＳＭＡの方を辞めたのです。

音楽を作ったりギターを弾いたりしているときは楽しいのですが、歌とお芝居は自分の苦手な分野で、勉強の何倍も努力してもなかなかできるようになりませんでした。

でも短い間でしたが、自分も演じたりスタジオで歌ったりさせていただいて、俳優さんや歌手の方々のすごさというものが本当の意味で理解できた気がします。結果がついてこなくても、一度はやってみることで、学べることがたくさんあると思います。

事務所に所属してレッスンなどを受ける中で、人生におけるとても大きな学びになったと思うことは、「**何かに対してこんなにも真面目に取り組んでいる人が、14歳でもたくさんいるんだ」という事実を知ったこと**です。

自分も勉強などさまざまな努力を重ねてきたつもりだったけれど、それは思い上がりだったと気付き、もっと真剣に人生に向き合わないといけないと思いました。

東京大学での学び

私が東京大学に入学して良かったと感じることの1つは、前期教養学部の勉強がとても面白いことです。

宇宙科学や法哲学、進化論など、幅広い授業を履修していました。

水産資源に関する授業では、バイオテクノロジーによってマグロの養殖が低コスト化できる話などを聞き、先進的で面白いなと思いました。

このような、自分1人では知りようのない最新の理論や情報を、専門の先生から学ぶことができるのはとても素晴らしい体験です。

特に、会計学の授業で「すぐに役に立つものは、近い将来すぐに役に立たなくなる」と先生が仰っていたのが心に残っています。

また、法学部で学ぶのは、法がどのように解釈され、適用されているかということだけではありません。

今ある法律を作るのに実際に携わられた先生から、**法を作る過程でどういう社会を実現したいという思いをもっていたか、そして何を考えどういう議論を経て現在の法に着地したか**という大変面白い話を聞くことができ、印象に残っています。

さらに、魅力的な友人達と出会えたことも、東大に入学して良かったと思うことの1つです。

哲学専攻の友人は、人の悩みを細かく分解し哲学的な観点で肯定してくれて、私もそのときのちょっとした悩みを打ち明けたのですが、とても興味深いアドバイスをしてくれました。

また、同じ弁護士になるという夢に向かって一緒に勉強してくれる友人もいます。予備試験や司法試験合格を在学中に達成する人は東大でも少なく、大学の授業との両立は大変苦しいものです。

それでも頑張れたのは、グループになって支え合った友人達のお陰です。プライベートで会う時間は、それぞれが多忙なのでなかなかありませんが、お互い将来困ったときに助け合うことのできる真の友人達に出会えたと思っています。

『東大王』からの学び

推薦で一般入試よりも一足早く東大合格通知をいただいた私は、担任の先生から『東大王』の予選があることを教えていただきました。

そこでベスト7に入り18歳のときに「東大王」のサブメンバーになります。そしてその年の秋、「『東大王』入れ替え戦」が行われ、ベスト4に入り「東大王」メンバーの1人になりました。

『東大王』に出演させていただいて学んだことはたくさんあります。

一番はこの本を書くきっかけとなったみなさんの声が聞けたことです。

多分テレビに出ていなかったら、私はこんなにも多くの問題が今私達の周りにあることに気付けなかったと思うのです。それについて調べ、みなさんと話し、シェアすることで私自身がとても成長できたのではないかと思います。

ほかにはかけがえのない人達に出会えたこともあります。

私は大学生活のほとんどの時間を司法試験予備試験と司法試験の勉強に割いてきました。

その間には、苦しいことも、悲しいできごともたくさんあって、その度に「東大王」メンバーや、共演してくださる芸能人のみなさん、スタッフさんと共に乗り越えてきたという思いがあります。

候補生4人を除いては、ほとんどの方々が私より年上です。そしてみなさんとても思いやりのある、仕事に対してとてもプロ意識の高い方々ばかりです。

本当に大学生というこの時期に、こういった真摯に仕事をされる方々のプロとしての姿勢を間近で見せていただいたことは、私の今後にとてもよい影響を与えてくれると思います。

私は『東大王』を卒業するともうテレビの撮影に参加することができませんが、この4年の大学生活を『東大王』や『プレバト!!』をはじめとする共演者の方々とスタッフさんに守っていただいたことは一生忘れないと思います（TBS、フジテレビや日本テレビの関係者の方々や出版社の方々、コマーシャルをはじめとした広告に起用してくださった方々にも本当にお世話になりました）。

何か困ったことがあったら（ないのが一番ですが）、将来は弁護士として助けられたらいいなと思っています。

瀧本《たきもと》ゼミでの学び

東大に入ってすぐ私は瀧本ゼミに入りました。

瀧本哲史《てつふみ》先生は、2019年にご病気のため47歳の若さで他界されてしまいましたが、本当に素晴らしい教育者でした。

短い間でしたが、先生と出会えたことは私の人生の宝だと思っています。


瀧本ゼミは瀧本先生が運営費用をすべて負担してくださっている自主ゼミです。政策分析パートと企業分析パートの2つに分かれていて、参加者は自分の興味のある方を選びます。私は企業分析の方で瀧本ゼミに入るためのテストを受けました。面接は先輩がするものと思っていたのですが、先生ご本人がいらっしゃって、かなり長時間の質疑応答がありました。

そして最後に先生が「今のままの君は小さくまとまっていて面白くない。僕は大当たりする人か、大外れする人が見たいんだ」と仰いました。

当時まだ18歳だった私は、自分はつまらない人間なのかと悲しい気持ちになり、落ちてしまったとがっかりしましたが、先生は一応入れておこうと判断されて、私はゼミ生になりました。

そこから毎週行われるゼミの企業分析に私はものすごく真面目に取り組みました。先生はそういう姿勢をちゃんと見てくれていて、私の発表に真剣に向き合って適切な指導をしてくださり、弁護士になるためのアドバイスまでしてくださいました。

また、ゼミの終わりに誰かが質問をするとどんなに長時間になっても質問の答えに納得いくまで付き合ってくださいました。

私はこのゼミを通して企業分析だけでなく、瀧本先生から、人を育てるということがどういうことなのかを学んだ気がしています。

1つだけ残念に思うのは、私が弁護士になることを応援してくださっていた先生に、予備試験合格の報告ができなかったことです。

私が合格通知を受け取ったのは先生が亡くなった2カ月後でした。

先生の著書や立て直しに関わった企業、先生の意志を受け継ぐ多くのゼミ生。

人が生きるということが単なる長さではなく濃度なのだと深く教えてくださった

先生のことを、私は一生忘れないと思います。

弁護士になるための学び

私の将来の夢は企業法務弁護士で、この仕事に就くために私は一緒に司法試験予備試験を目指してきた友人達と膨大な時間を勉強に費やしてきました。

そして今、司法試験に挑戦中です。

この職業を目指すことにしたのは、高校1年生のときに弁護士の先生3名にお会いしたことがきっかけです。

お話を伺う中で、私達が何気なく口にしている食品も、実は先生方が日本の権利を守ってくださっているからこそ食べられるのだと知り、その仕事の大切さに気付きました。

また、そんな素晴らしい活躍をされている方々なのに、ただの高校1年生の私に対してすら、真摯にお話ししてくださいました。その姿に感動したからこそ、私は弁護士を目指したいと思ったのです。

もう6年以上も前のことです。お話をしてくださった先生方は私のことも、何を話されたかも忘れてしまっているでしょうが、私にとっては一生を左右するできごとでした。そして私は先生と同じ東京大学法学部を目指し、大学3年生で司法試験予備試験に合格し司法試験を目指すことになりました。

大学2年生から外資系企業の法務部で、大学3年生からは渉外弁護士事務所でインターンをしてきたのですが、そのときに職場の方からいくつかの心に残る言葉をいただきました。

「私は失敗や挫折《ざせつ》のない人を信用しません。失敗や挫折を経験して、それをどう乗り越えたかでその人が分かります」

この言葉に失敗の多い私は救われました。間違えないようにびくびくするのではなく、思い切ってやっていこうと思えました。

これはこの本を読んでくださったみなさんにも強く伝えたい言葉です。

また、採用試験のときに言っていただいたのは「**仕事は1人でできるものじゃなくて、みんなで協力して足りないところを埋め合っていけばいいものなんですよ。こ**

れから一緒に働いて、一緒に成長していきたいと思っています」という言葉です。

今はダメでも、これからを見てくれる人がいるということです。完璧になろうとしなくても、努力して成長していく姿を評価してくれる人がいるのです。

失敗ばかりしてしまう、こんなはずじゃなかったのに――誰もがそういう体験をしていると思います。

そんなとき、私が受け取ったこの2つの言葉を思い出してみてください。

一生懸命挑戦したのに結果がついてこなければ、がっかりするのは当たり前です。でも地道に努力をし続けていれば、ちゃんとそれを人は見ていて、必ず手を差し伸べてくれます。そして、その失敗こそが次の成功の基なのです。

苦しいときは1人で抱え込まずに、ここまで頑張ったけれど、ここからできなかったと声に出して伝えましょう。そうやって周りの人に助けてもらいながら進んでいけば必ず少しずつでも前に進んでいけます。

そして今のあなたの頑張りがどんな結果であろうとも、**私はあなたの努力を何より素晴らしいものだと思っています。**

おわりに

ここまで読んでくださり、ありがとうございました。

本書を読んで、何か少しでもお役に立てることは見つかったでしょうか。

私が紹介したことはあくまでも私個人の考え方や方法であり、絶対的な正解ではありません。

「これは使えそう」と思ったことだけを取り入れて、「なんだか違うな」とか「ここはやりたくないな」と思ったところはやらなくて大丈夫です。

ご自身にとって使いやすい形にアレンジしながら勉強していただけたらと思います。少しでもあなたが考える「学び」の参考にしていただければ嬉しいです。


みなさんの夢が叶うよう、心からお祈りしています。

鈴木光

鈴木光

2020年12月現在、東京大学法学部4年次在学中。

1998年東京都生まれ。2014年、松本清張記念館中高生読書感想文コンクールで優秀賞受賞。2015年、アジア太平洋青少年リーダーズサミット参加、Stanford e-Japan プログラムで最優秀賞受賞。2017年、国立筑波大学附属高校を卒業し、東京大学文科I類に現役合格。同年5月瀧本ゼミに所属。同年11月からTBS系『東大王』にレギュラー出演中。『東大王』『プレバト!!』等多数の番組に出演。

2019年司法試験予備試験合格。本書が初の著書になる。

Staff

撮影
玉井美世子

スタイリング
西村茜音

ヘアメイク
齊藤沙織

デザイン
APRON（植草可純、前田歩来）

DTP
株式会社ニッタプリントサービス

校正
株式会社鷗来堂、株式会社文字工房燦光

構成協力
村上杏菜

編集
平井榛花

撮影協力
studio douz 目黒碑文谷

衣装協力
ŠŤASTNÝ SŮ　Fumiku

夢《ゆめ》を叶《かな》えるための勉強法《べんきょうほう》

2020年12月11日　初版発行
2021年 3 月10日　6 刷発行

著者／鈴木《すずき》 光《ひかる》
発行者／青柳 昌行
発行／株式会社KADOKAWA
〒102-8177　東京都千代田区富士見2-13-3
電話 0570-002-301（ナビダイヤル）
印刷所／大日本印刷株式会社

ISBN 978-4-04-604797-7　C0095